Arriver à Marrakech

En avion

➔ DE L'AÉROPORT MARRAKECH-MÉNARA

📞 05 24 44 79 10 - à 6 km au sud-ouest du centre de Marrakech.

Taxi – Des taxis assurent la liaison entre l'aéroport et la ville (15mn). Fixez le prix avant le départ, car ils refusent d'utiliser le compteur sur ce trajet. Comptez env. 150 DH (14 € env.) la course.

Bus – De l'aéroport, un bus dessert une vingtaine de stations dans toute la ville ; dép. ttes les h de 6h30 à 23h30, 20 DH (1,80 € env.), 30 DH (2,70 € env.) AR. Vous pouvez aussi emprunter le bus n° 11, qui rejoint la place Jemâa el-Fna en 20mn, (3 DH-0,30 € env.), mais il vous faudra marcher 500 m jusqu'à la sortie de l'aéroport pour atteindre la route d'où on peut le héler.

Voiture – Vous trouverez sur place les principales agences de location de voiture. *Voir p. 20.*

ATTENTION !

Depuis mars 2009, les numéros de téléphone sont passés de 9 à 10 chiffres. Si vous avez un numéro à 9 chiffres, pas de panique :
Pour les **téléphones fixes**, il suffit d'ajouter un 5 (après le premier 0).
Pour les **portables**, il suffit d'ajouter un 6 (après le premier 0).

SPÉCIAL BUS MARRAKECH

Les bus de la compagnie **Alsa** (📞 05 24 33 52 70) desservent Marrakech et sa périphérie.

➔ **Tarif :** 3 DH (0,30 € env.)

➔ **Principales lignes :** Les plus utiles sont le n° 1 (de Jemâa el-Fna), pour rejoindre le Guéliz depuis la médina via la poste centrale ; les n°s 3, 8, 10 et 14 pour rallier les gares routière et ferroviaire ; le n° 4 (de Jemâa el-Fna) pour se rendre au jardin Majorelle via la gare routière ; le n° 9 (de Jemâa el-Fna) pour faire le tour des remparts ; le n° 11 (de Jemâa el-Fna) et le n° 20 (de la Mamounia) pour la Ménara et l'aéroport.

2

Destination Marrakech

3

Préparez votre voyage

Formalités d'entrée

Les formalités administratives et douanières risquant d'être modifiées dans leurs détails, nous conseillons à nos lecteurs de se renseigner avant le départ auprès de la représentation diplomatique marocaine *(voir p. 8)*.
Papiers d'identité – Pour les ressortissants de l'Union européenne et de la Suisse, seul un passeport en cours de validité est exigé. La durée d'un séjour de tourisme ne doit pas dépasser trois mois.
Visa – Les ressortissants de l'Union européenne et de la Suisse n'en ont pas besoin.
Douanes – Les principales restrictions douanières à l'entrée sont : 2 l de vin ou 1 l d'alcool fort, 200 cigarettes (soit une cartouche) ou 50 cigares ou 250 g de tabac. Parmi les articles qui doivent être déclarés figure le matériel de tournage ou de photographie (s'il est volumineux). Pensez à emporter les factures de vos appareils ; on pourrait vous les demander.

Venir en avion

L'aéroport Marrakech-Ménara dispose, depuis 2008, d'un hall d'accueil flambant neuf. Il se trouve à 6 km au sud-ouest du centre de Marrakech.
LES COMPAGNIES RÉGULIÈRES
Royal Air Maroc, Air France et Aigle Azur se partagent les liaisons avec le Maroc.
Royal Air Maroc (RAM) – De Paris (Orly), plusieurs vols par jour vers Marrakech (env. 3h05) et deux vols par semaine vers Essaouira (env. 3h10).
Au départ de Lyon, trois vols directs par semaine pour Marrakech (env. 2h55) assurés par la filiale *low cost* de la RAM (vols en *code-share*), Atlas Blue *(voir plus loin)*, et deux vols par semaine avec escale à Casablanca pour Essaouira.
Au départ de Marseille, vols directs pour Marrakech (presque tous les jours env. 2h40) assurés par Atlas Blue *(voir plus loin)* et deux vols par semaine avec escale à Casablanca pour Essaouira.
De Montréal, plusieurs vols hebdomadaires vers Marrakech avec escale à Casablanca (env. 9h30).
En France : www.royalairmaroc. com - 38 av. de l'Opéra - 75002 Paris - ℘ 0 820 821 821.
En Belgique : 46-48 pl. De Brouckère - 1000 Bruxelles - ℘ (02) 219 30 30.
En Suisse : Bahnhofstrasse 94 - Zurich - ℘ (044) 215 67 00 ; r. Chantepoulet 4 - Genève, ℘ (022) 731 77 53/54/55.
Au Canada : 75 Sherbrooke Ouest - Montréal, ℘ 1800 361 75 08.
Air France – Au départ de Paris (Roissy), vol quotidien pour Marrakech avec escale à Casablanca (env. 5h) ; au départ de Lyon, Marseille et Toulouse, plusieurs vols hebdomadaires pour Marrakech avec escale à Casablanca. ℘ 3654 - www.airfrance.fr.
Aigle Azur – Au départ de Paris (Orly), trois vols directs par semaine pour Marrakech. ℘ 0 810 797 997 - www.aigle-azur.fr.

LES COMPAGNIES « LOW COST »

Le site www.flylc.com permet de trouver quelle compagnie *low cost* dessert votre destination.

Atlas Blue – Filiale *low cost* de la RAM. De Paris, vols directs pour Marrakech (env. 3h05) presque tous les jours. Plusieurs liaisons hebdomadaires directes pour Marrakech au départ de Bordeaux, Lyon, Nantes, Nice, Marseille et Toulouse.

À partir de la Belgique et de la Suisse, plusieurs vols hebdomadaires vers Marrakech (3h25 de Bruxelles, 3h10 de Genève). ✆ 0 820 887 887 (France), ✆ (02) 420 70 70 (Belgique) - www. atlas-blue.com.

Transavia – Cette filiale *low cost* d'Air France dessert, au départ de Paris (Orly), l'aéroport de Marrakech (env. 3h10). ✆ 0 892 058 888 - www.transavia.com.

Jet4you – De Paris (Orly), quatre ou cinq vols directs hebdomadaires entre Paris (Orly) et Marrakech (env. 3h15). ✆ 0811 61 44 44 (France) - ✆ 078 160 22 22 (Belgique) - www. jet4you.com.

Easyjet – Vol quotidien vers Marrakech au départ de Paris (Roissy). www.easyjet.fr.

LES CENTRALES DE RÉSERVATION SUR INTERNET

Vous obtiendrez les meilleurs prix en passant par les centrales de réservation en ligne, qui proposent des tarifs intéressants, des occasions de dernière minute, des vols bradés ou des packages avion + hôtel.

Les sites **www.voyagermoinscher.fr** et **www.liligo.fr** fonctionnent comme un moteur de recherche, faisant intervenir les différents prestataires.

Airportail – www.airportail.com.

Anyway – ✆ 0 892 302 301 - www. anyway.com.

Bourse des vols – ✆ 0 892 888 979 - www.bourse-des-vols.com.

Ebookers – ✆ 0 892 893 892 ou 01 76 61 46 33 (lun.-vend. 9h-20h, sam. 10h-19h) - www.ebookers.fr ; agence : 28 r. Pierre-Lescot - 75001 Paris - ✆ 01 45 08 44 88 - lun.-vend. 10h-19h, sam. 10h-18h.

Last Minute – ✆ 04 66 92 30 29 - www. lastminute.com.

Opodo – ✆ 0 892 230 682 - www. opodo.fr.

AVEC UN VOYAGISTE

Safar Tours – www.safartours.biz - 21 bd des Batignolles - 75008 Paris ; 34 bd de Bonne-Nouvelle - 75010 Paris - ✆ 01 44 70 62 62 - lun.-vend. 9h-20h, sam. 8h-18h30. Le spécialiste du Maroc. Tarifs compétitifs pour des séjours au Maroc ou des vols réguliers (via RAM ou Aigle Azur) au départ de Paris (Orly) pour plusieurs villes du Maroc, dont Marrakech.

Voyageurs au Maroc – 55 r. Ste-Anne - 75002 Paris - ✆ 0 892 23 73 73 - www.vdm.com. Autres agences à Lyon, Marseille, Toulouse, Rennes, Nice, Lille, Nantes et Grenoble. Circuits accompagnés et voyages sur mesure.

Donatello – 20 r. de la Paix - 75008 Paris - ✆ 0 826 102 102 - www. donatello.fr. Séjours dans plusieurs villes du Maroc, dont Marrakech et Essaouira.

Fram – ✆ 0 826 463 727 - www.fram. fr. Séjours en hôtel ou en club (dont Marrakech et Essaouira).

Go Voyages – ✆ 0 899 651 951 (vols), ✆ 0 899 650 242 (séjours) - www.

govoyages.com. Séjours variés dans des riads, hôtels ou clubs à Marrakech.
Jet Tours – ✆ 0 820 830 880 - www. jettours.com. Nombreuses agences dans toute la France. Séjours à Marrakech, circuits en voiture et randonnées.
Look Voyages – ✆ 01 45 15 31 70 - www. look-voyages.fr. Nombreuses agences. Séjours en hôtel ou au club Lookéa de Marrakech. Circuit dans le Sud marocain.
Nouvelles Frontières – ✆ 0 825 000 747 - www.nouvelles-frontieres.fr. Nombreuses agences partout en France. Vols, séjours en hôtel, club ou résidence Paladien, et circuits.

Argent

Devises – La monnaie officielle est le **dirham** (DH), divisé en 100 centimes et convertible au taux de 11,3 DH pour 1 €. Le rial (de réal, ancienne monnaie espagnole) est une unité de compte populaire encore utilisée chez certains commerçants : 1 dirham vaut 20 rials. Attention : il est interdit d'importer ou d'exporter de la monnaie marocaine. À l'entrée du territoire, vous devez déclarer le montant de vos devises importées sous forme de billets de banque si celui-ci est supérieur à 100 000 DH (env. 10 000 €). À la sortie du pays, vous pourrez changer les dirhams non dépensés ; conservez toutefois à tout hasard vos bordereaux de change et facturettes de retrait.
Change – Vous pouvez changer de l'argent dans tous les aéroports, les banques, les grands hôtels et auprès des bureaux de change. Les taux sont souvent plus intéressants dans les banques privées qu'à la banque centrale (Bank al-Maghrib).
Chèques de voyage – Très pratiques, ils sont acceptés dans la plupart des banques et grands hôtels, ainsi que dans certaines agences de voyages. La majorité des grandes banques ne prennent pas de commission.
Carte de crédit – Les hôtels, restaurants et magasins d'un certain standing acceptent les principales cartes de crédit (Visa, Mastercard), mais très rarement l'American Express. En revanche, beaucoup d'établissements vous facturent une commission de 4 à 5 % si vous réglez par carte. Vous n'aurez aucun mal à trouver un distributeur à Marrakech ou Essaouira. Soyez prévoyant car ils ne sont pas toujours suffisamment approvisionnés. Aussi, lorsqu'ils fonctionnent, mieux vaut tirer de l'argent pour plusieurs jours.

Saisons et climat

Si vous souhaitez vous dorer au soleil à **Essaouira**, partez **entre début mai et début septembre**.
Évitez de visiter **Marrakech** en été, il fait très chaud et les touristes sont légion ; venez plutôt au **printemps** ou au début de **l'automne**, les températures sont très agréables.
Le climat de la côte atlantique est très humide, surtout en hiver, mais modéré. À l'intérieur du pays, le climat se fait de plus en plus continental à mesure que l'on s'enfonce dans les terres ; la température peut varier de 40 °C en été à 4 °C en hiver. Les pluies sont rares et sporadiques.

Pour en savoir plus

ORGANISMES À L'ÉTRANGER

France – Office du tourisme du Maroc - 161 r. Saint-Honoré - 75001 Paris - ℘ 01 42 60 63 50/97 34 - tourisme. maroc@wanadoo.fr - www.tourisme-marocain.com - lun.-vend. 9h-18h.

Belgique – Av. Louise 402 - 1050 Bruxelles - ℘ (02) 646 63 20/70 90 - tourisme.maroc@skynet.be.

Suisse - Achifflande 5 - 8001 Zurich - ℘ (411) 252 77 52/75 18 - marokkotourismus@aon.at.

Canada - 1800 av. Mc Gill College, suite 2450 - Montréal - ℘ (514) 842 81 11/12.

ORGANISME À MARRAKECH

Office de tourisme – pl. Abdel Moumen ben Ali, Guéliz - ℘ 05 24 43 61 31 - lun.-vend. 8h30-12h, 14h30-18h30.

ORGANISME À ESSAOUIRA

Office de tourisme – 10 r. du Caire - ℘ 05 24 78 35 32 - www.mogador-essaouira.com - lun.-vend. 9h-16h30.

SITES INTERNET

Actualités – www.lopinion.ma, www.lematin.ma, www.liberation.press.ma, www.maroc-hebdo.press.ma.

www.ambafrance-ma.org – Informations générales, histoire, culture.

www.imarabe.org – Site de l'Institut du monde arabe. Informations historiques sur les pays du monde arabe.

www.mincom.gov.ma – Site du ministère de la Communication du Maroc.

www.travel-in-morocco.com – Liste d'hôtels et de restaurants, location de voitures, musées et loisirs.

www.riads.fr – Une sélection de riads.

7

Votre séjour de A à Z

Banques

📖 « *Argent* », p. 6 et « *Horaires* », p. 10.
Marrakech – Dans la médina, plusieurs banques sont regroupées autour de la **place Jemâa el-Fna** (Banque al-Maghrib) et le long des rues Moulay Ismaïl ou Bab Agnaou (BMCE). Dans le **Guéliz**, plusieurs banques sur l'avenue Mohammed V (BMCE, Crédit du Maroc, Wafa Banque) ou sur le boulevard Zerktouni (BMCI).
Essaouira – Vous trouverez plusieurs banques dotées de distributeurs à proximité immédiate de la **pl. Moulay Hassan** : Banque populaire, Banque commerciale du Maroc, Crédit du Maroc et BMCE (sur la r. El Hajjali). On trouve aussi la Wafa Bank et la Société générale sur l'**av. Oqba Ibn Nafia**, ainsi qu'une agence de la Banque populaire sur l'**av. al-Massira al-Khadra** (ville nouvelle). Si les distributeurs sont à sec, vous pouvez changer de l'argent dans un grand hôtel.

Calèche

La calèche peut être un moyen de locomotion agréable et original dans les rues de Marrakech et d'Essaouira.
Marrakech – Stations en face de la plupart des grands hôtels, sur la place Jemâa el-Fna et à Bab Doukkala. N'oubliez pas de fixer le prix de la course avant le départ et de marchander fermement le cas échéant : le tarif horaire ne devrait pas dépasser 100 DH (9 € env.).
📖 « *La palmeraie* », p. 85.

Essaouira – La principale station de calèches se tient à l'extérieur de Bab Doukkala, le long du cimetière chrétien.

Consulats

France – r. Camille Cabana - Marrakech - ☎ 05 24 38 82 00 - www.consulfrance-ma.org - lun.-vend. 8h-16h. Permanence téléphonique pour les cas graves ou urgents : ☎ 06 61 34 42 89.
Belgique – 7 pl. de la Liberté - 5e étage - Marrakech - ☎ 05 24 42 23 32 - www.diplomatie.be - lun.-vend. 8h30-12h, 14h30-18h.

Décalage horaire

L'heure locale est celle du méridien de Greenwich. Lorsqu'il est midi en France, il est 11h au Maroc en hiver, 10h en été.

PAS DE PANIQUE !
Pompiers, ambulances : ☎ 15
Police secours : ☎ 19
Gendarmerie royale : ☎ 177
SOS Médecins : ☎ 05 24 40 40 40
Perte cartes bancaires :
Centre d'opposition national :
☎ 71 840 680 ou ☎ 71 841 680
American Express :
☎ 01 47 77 70 00 (n° en France)
Visa : ☎ 0011 866 654 0163
Master Card et Maestro : ☎ 0011 636 722 7111

L'innovation au service de l'environnement.

Que ce soit à travers le développement de pneus à basse consommation de carburant ou à travers notre engagement en matière de développement durable, le respect de l'environnement est une préoccupation quotidienne que nous prenons en compte dans chacune de nos actions.
Car œuvrer pour un meilleur environnement, c'est aussi une meilleure façon d'avancer.

www.michelin.com

Eau potable

Il est plus prudent de s'en tenir à l'eau en bouteille et d'éviter les glaçons en dehors des établissements touristiques. Goûtez l'eau minérale Sidi Harazem, Sidi Ali ou l'eau gazeuse Oulmès.

Électricité

Le courant est de 220 volts. Comme en Europe, les prises sont à deux fiches rondes.

Hébergement

🕭 *« Se loger », p. 26 et « Le riad », p. 109.*
Les petits hôtels proposent des chambres correctes, très sommairement meublées, avec douches sur le palier, pour 100-180 DH (9-16 € env.). Dans de nombreux établissements classés, avec un service de qualité, le prix d'une chambre double s'élève à environ 300-450 DH (27-41 € env.). Il faut compter un minimum de 750 DH (68 € env.) à deux pour dormir dans un riad. Quant aux palaces (style La Mamounia, à Marrakech), ils affichent des tarifs supérieurs à 1 500 DH (136 € env.).

Horaires

La semaine de travail des Marocains est identique à celle des Occidentaux, avec une **pause** plus longue **en milieu de journée le vendredi**, jour saint de l'islam (celui de la prière collective). Les entreprises et administrations ferment le samedi et le dimanche. Durant le ramadan, les bureaux ouvrent de 9h à 16h.
🕭 *« Ramadan », p. 14.*
Administrations – Les administrations ouvrent de 8h30 à 12h et de 14h à 18h30. Le vendredi, elles ferment entre 12h et 15h.

Banques – Du lundi au vendredi, de 8h15 à 11h30 et de 14h15 à 16h en hiver, de 8h à 11h30 et de 15h à 17h en été. Le vendredi, de nombreuses banques ne reprennent après le déjeuner qu'à 15h. Durant le mois du ramadan, elles sont ouvertes sans interruption de 9h30 à 14h.
Magasins – Les magasins ouvrent de 9h à 12h et de 14h30 (ou 15h) à 19h (ou 20h). Ils ferment le dimanche, et parfois le samedi ou le lundi. Les boutiques des médinas restent souvent fermées le vendredi de 14h30 à 15h, quelques-unes, toute la journée.
Bureaux de poste – Ils fonctionnent généralement du lundi au vendredi, de 8h30 à 18h30.
Restaurants – Les jours de fermeture sont variables. À Marrakech, les restaurants ferment souvent le lundi.
Musées, monuments et sites – La majorité des musées sont ouverts tous les jours sauf le mardi de 9h à 12h et de 14h30 à 18h. Le vendredi, beaucoup de *medersa* (écoles coraniques) ferment leurs portes à midi.

Internet

Aujourd'hui, les connexions à haut débit se sont généralisées, ainsi que les webcams et les graveurs de CD, bien utiles pour vider les cartes-mémoire des appareils photo numériques.
Marrakech – Vous trouverez de nombreux cybercafés dans la **médina**, un peu moins dans la ville nouvelle. Ils sont ouverts tous les jours de 9h à 23h-0h et bénéficient d'une connexion ADSL. Quelques adresses dans la

médina : **Hanan Internet** - 92 r. Bab Agnaou - 7 DH (0,70 € env.)/h. **Cyber Hasna** - 41 r. Bani Marine - 7 DH (0,70 € env.)/h. **Cyber de la Place** - r. Bani Marine - 8 DH (0,70 € env.)/h. **El Waha** - pl. Jemâa el-Fna - 10 DH (0,90 € env.)/h. **Essaouira** – Les cybercafés d'Essaouira bénéficient tous d'une connexion ADSL et sont généralement ouverts tous les jours de 9h à 23h. Voici quelques adresses : **Amine Space**, au fond d'une impasse perpendiculaire à la rue Laâlouj - 7 DH (0,65 € env.)/h. **Club Mogador** - 8 bis r. du Caire - 10 DH (0,90 € env.)/h. **Essaouira Informatique Cyber** - 127 r. Med el-Qorry - 10 DH (0,90 € env.)/h. **Hich@m.net** - r. Abdelaziz el Fechtaly - 10 DH (0,90 € env.)/h.

Jours fériés

1er janvier : Jour de l'an grégorien
11 janvier : Manifeste de l'Indépendance
1er mai : Fête du Travail
30 juillet : Fête du Trône (intronisation du roi Mohammed VI)
20 août : Anniversaire de la Révolution
23 août : Anniversaire du roi Mohammed VI/Fête de la jeunesse
6 novembre : Commémoration de la Marche verte
18 novembre : Commémoration de l'Indépendance (retour d'exil de Mohammed V)
À ces fêtes laïques s'ajoutent les fêtes religieuses. Leur date est calculée à partir du calendrier musulman (lunaire) et varie d'année en année par rapport au calendrier grégorien *(voir p. 100)*.

Marchandage

Le marchandage obéit à des codes, même si chacun, marchand et client, use de ses propres astuces. D'une manière générale, un marchandage est « réussi » lorsque les deux parties sont satisfaites de leur transaction. Une bonne technique consiste à se renseigner auparavant sur la valeur de l'objet, à décider de la somme qu'on est prêt à dépenser pour l'obtenir et à s'y tenir. Cela permet d'éviter tout débordement dans le feu de l'action. Vous êtes content de votre achat ? Ne cherchez pas à savoir, une fois l'affaire conclue, si vous vous êtes fait « arnaquer » : vous trouverez toujours quelqu'un pour vous l'affirmer, même si c'est faux !
Par ailleurs, ce n'est pas parce que l'on se trouve dans un pays arabe qu'il faut systématiquement tout marchander. Si le marchandage est fortement recommandé dans les souks, et même nécessaire, il peut être malvenu dans les boutiques affichant des prix fixes. Attention également à ne pas sous-évaluer le travail des Marocains par un marchandage à outrance.
En basse saison, il est généralement possible de discuter le prix des chambres.

Médias

Presse

Les kiosques et les boutiques des sites touristiques et des hôtels vendent un large éventail de publications nationales éditées en français, ainsi que des quotidiens et magazines importés de l'Hexagone. Pour connaître un peu mieux le pays, lisez les journaux marocains édités en français : *L'Opinion*, *Maroc soir*, *Le Matin du Sahara*, *Libération*, *El-Bayane* et *Al-Maghrib*. Les principaux magazines mensuels sont *L'Événement du Maroc*, *Le Temps au Maroc*. Très apprécié de la jeunesse marocaine, *Tel quel* est l'un des seuls magazines politiques un peu critiques du Maroc. Dans le même style, le *Journal hebdomadaire* ose aborder des sujets généralement évités par la presse marocaine. Parmi les magazines féminins, citons *Citadine*, *Femmes du Maroc*, *Famille actuelle* et *Ousra Magazine*. Parmi les quotidiens français, on trouve *Le Monde* et *Libération* (imprimé le jour même à Casablanca) ; pour les magazines, *Le Nouvel Observateur*, *L'Express*, *Paris Match*…

Radio
Les stations locales, peu nombreuses, émettent en arabe et en français. Si vous disposez d'un bon appareil, vous pourrez capter plusieurs radios françaises : Europe 1, France Culture, France Info…

Télévision
Il existe deux chaînes gouvernementales : TVM et 2 M. La première, généraliste, émet autant de programmes en arabe qu'en français. La seconde diffuse des films dans les deux langues. La chaîne francophone par satellite TV5 propose des programmes français, belges, suisses et canadiens. Sur la côte nord, les habitants captent les chaînes espagnoles. L'extension des paraboles en ville et dans certaines campagnes est impressionnante. On en voit même sur les toits des bidonvilles ! Celles-ci offrent l'accès à des dizaines de chaînes étrangères, dont TF1, France 2, Euro News, Euro Sports…

Poste

« Horaires », p. 10.

Timbres
Les timbres sont vendus à la poste et dans certains kiosques à journaux. Si le courrier parvient toujours à son destinataire, le délai est relativement long. Il faut compter une semaine pour l'Europe, deux pour les États-Unis. Pour envoyer une lettre (jusqu'à 20 g) ou une carte postale en Europe, il vous en coûtera 6 DH (0,55 € env.).

Expédier ses achats
Les colis inférieurs à 20 kg et dont les côtés mesurent moins de 1,5 m peuvent être expédiés par la poste. Les expéditions par voie terrestre coûtent beaucoup moins cher que par voie aérienne mais sont très lentes. Par exemple, l'envoi d'un colis de 10 kg vers la France vous coûtera 100 DH environ, contre 300 DH par avion. Vous trouverez dans la majorité des postes un service rapide qui assure un délai inférieur à 24h. Comptez environ 150 DH pour un colis de moins de 500 g.

Postes centrales
Marrakech – Poste centrale - pl. du 16 Novembre - Guéliz ; un grand bureau place Jemâa el-Fna, dans la médina - lun.-vend. 8h-16h15, sam. 8h-11h45.
Essaouira – Poste centrale - à l'angle des avenues el-Mouqaouama et Lalla Aïcha, dans la ville nouvelle - lun.-vend. 8h-15h45, sam. 8h-12h.

Alors... *Heureux?*

us les mercredis à 20h35,
lippe Gildas **et** Sarah Doraghi
us présentent l'actualité de
rt de vivre en compagnie d'une
rsonnalité qui nous dévoile
jardins secrets.

us les jours : nos rendez-vous de détente et de découverte
la consommation, la maison, la cuisine et le bien-être.

CÔTE ARGENT
le mag

Olivia Adriaco

ma Maison
le mag

Vincent Ferniot

Cuisine&
Saveurs
le mag

Marie-Ange Nardi

Bien Être
le mag

core plus de bons plans, d'idées déco,
recettes de cuisine et de conseils bien-être sur vivolta.com

Pourboire

Il est de bon ton de laisser un pourboire au café et au restaurant (2 à 10 DH-0,20 à 0,90 € env.). Pour les chauffeurs de taxi, les gardiens de voitures, les pompistes, les femmes de ménage, les bagagistes… le pourboire est indispensable (2 à 5 DH-0,20 à 0,45 € env.) : il complète leur maigre salaire.

Ramadan

Durant le mois sacré du ramadan *(voir p. 101)*, les habitudes de vie des Marocains changent. Les administrations publiques et les banques ferment plus tôt (à 14h ou 15h), les boutiques, closes la journée pendant cette période, n'ouvrent que le soir après la rupture du jeûne et jusque tard dans la nuit.

Restauration

« Pourboire » ci-dessus, « Se restaurer », p. 37 et « Gastronomie », p. 118.

Dans les hôtels

La plupart des hôtels classés proposent des formules en demi-pension ou en pension complète. En règle générale, les buffets sont très variés et la cuisine, de qualité. Mais on n'est jamais à l'abri de mauvaises surprises… Les grands établissements disposent parfois de plusieurs restaurants : préférez le marocain.

Dans les restaurants

Vous trouverez un peu partout des **gargotes** proposant tajines et couscous bon marché : entre 35 et 50 DH (3,20 à 4,50 € env.). L'accueil est, le plus souvent, avenant et souriant ; quant au cadre, il se compose généralement d'un plafond éclairé au néon et de nappes fleuries en plastique. En matière d'authenticité, vous ne trouverez pas mieux !

Dans les **restaurants plus soignés**, le prix d'un repas tourne autour de 90-150 DH (8,20 à 14 € env.).

Les **grands restaurants** marocains sont très nombreux dans les régions touristiques, notamment à Marrakech, où vous trouverez aussi des restaurants de cuisine étrangère, française, ou encore italienne, espagnole, asiatique, mexicaine… Avec environ 300 DH (27 € env.) par personne, vous mangerez dans des établissements plus chic, qui offrent généralement un cadre, un service et une table raffinés. Enfin, si vous optez pour un repas dans un **restaurant de luxe** au cadre féerique, l'addition atteint jusqu'à 700 DH (63 € env.) par personne, hors boissons.

Alcool

Bien que l'alcool soit prohibé par l'islam, le Maroc est producteur de vin et de bière. Pour les restaurants, la licence est plus ou moins difficile à obtenir selon les villes. De nombreux restaurants proposent du vin à Marrakech et quelques-uns à Essaouira.

Santé

« Pas de panique », p. 8.

Vaccination

Aucune vaccination n'est exigée pour les ressortissants européens. Toutefois, il est toujours prudent d'être vacciné contre la diphtérie, le tétanos, la poliomyélite et la typhoïde ainsi que contre les hépatites A et B.

Maladies

Il n'y a pas de risques particuliers à Marrakech et à Essaouira. La tourista (diarrhée) demeure cependant le trouble le plus fréquent.

Précautions élémentaires

L'eau n'est pas potable ; si vous voyez des Marocains en boire, souvenez-vous qu'ils en ont l'habitude. Pour réduire le risque de diarrhée, lavez bien les fruits et légumes, épluchez-les et ne buvez que de l'eau minérale. En dehors des lieux touristiques, évitez les glaçons, qui sont souvent faits à partir d'eau du robinet. Enfin, même si on ignore le nombre de malades, le sida s'est considérablement répandu ces dernières années. Prenez donc les précautions d'usage ; on trouve des préservatifs dans les pharmacies des grandes villes et des stations balnéaires.

Trousse à pharmacie

On trouve la plupart des médicaments courants dans les pharmacies des grandes villes marocaines.

Services médicaux

L'infrastructure médicale des villes s'est considérablement développée. Néanmoins, en cas de graves problèmes de santé, préférez le rapatriement.
Marrakech – Polyclinique du Sud – 2 r. de Yougoslavie - Guéliz - ℘ 05 24 44 83 72 ou 05 24 44 79 99 (urgences 24h/24).
Essaouira – Hôpital Sidi Mohammed ben Abdelah - bd de l'Hôpital - ℘ 05 24 47 57 16/20 47 (urgences 24h/24).

Savoir-vivre

Politesse – Apprenez quelques mots en arabe, notamment des salutations courantes. Cela fera toujours plaisir même si les Marocains sont francophones.

À table – Chez l'habitant, il est de règle de respecter certaines coutumes. Pour se servir, on n'utilise que le pouce, l'index et le majeur de la main droite. Des morceaux de pain servent à saucer ou à prendre viande et légumes. Si cette méthode vous paraît difficile, n'ayez crainte : les Marocains sont habitués à recevoir des étrangers et vous proposeront un couvert individuel. Vous ne serez contraint de vous soumettre à ces règles que lors d'une diffa, repas de fête qui donne lieu à tout un cérémonial.

Thé à la menthe – Il est offert en signe d'hospitalité. Il est malvenu de le refuser, même si on vous en propose à plusieurs reprises.

Ramadan – Durant cette période, les croyants sont fatigués et affamés, surtout en fin de journée. Abstenez-vous donc de manger, de boire ou de fumer en public avant la rupture du jeûne.

Alcool – Évitez de proposer de l'alcool à quelqu'un que vous ne connaissez pas ; vous êtes en pays musulman.

En couple – Les couples marocains se contentent de marcher main dans la main ou bras dessus, bras dessous. Aussi évitez les effusions de tendresse, autrement dit les baisers et gestes « osés ». Petite remarque : vous verrez souvent deux hommes ou deux femmes se tenir par la main ou un doigt. Cela n'est pas un signe d'homosexualité, mais de fraternité inhérente à la communauté musulmane.

Attention à certaines conversations – Si les Marocains sont tolérants et ouverts, quelques sujets demeurent sensibles ou tabous. Nul ne critique ouvertement la monarchie, l'intégrité territoriale (Sahara occidental) ou l'islam, qui sont les principaux symboles de la cohésion nationale. Il serait de mauvais goût d'aborder un de ces sujets, car vous risqueriez de provoquer un grand malaise.

Photo – Si vous souhaitez prendre des habitants en photo, demandez leur autorisation ; ils n'apprécient pas d'être pris au dépourvu. Pensez à noter leur adresse pour leur envoyer leur portrait, cela leur fera infiniment plaisir.

Vêtements – Dans les grandes villes comme Marrakech ou Essaouira, tous les types de vêtements sont portés : djellabas, jupes moulantes et costumes se côtoient naturellement. Aussi, habillez-vous comme bon vous semble, sans pour autant choisir des vêtements provocants ou ostentatoires. Préférez les pantalons ou bermudas aux shorts courts, les pulls ou tee-shirts aux débardeurs et bustiers. À la plage, oubliez le monokini et le nudisme. La majorité des Marocains est loin d'être fortunée : évitez de vous promener avec des bijoux en or ou en pierres précieuses.

Accès aux lieux saints – Au Maroc, l'accès aux lieux saints est interdit aux non-musulmans ; respectez donc cette règle. Cette loi a été promulguée lors du protectorat français par le résident général Lyautey, qui souhaitait le respect du peuple colonisé.

Taxi

☞ « Arriver à Marrakech », p. 1.
Les petits taxis – Les petits taxis se trouvent uniquement dans les grandes villes. À **Essaouira**, sachez qu'ils sont rares et qu'ils ne circulent que dans la ville moderne. On les repère à leur couleur : bleu à Essaouira, beige à Marrakech… Le chauffeur est tenu de mettre son compteur en marche (au départ, ce dernier doit afficher 1,60 DH en journée et 2,40 DH la nuit). S'il refuse de le faire, changez simplement de taxi. Le prix minimal d'une course à **Marrakech** est de **10 à 15 DH** (comptez 15 DH env. pour un trajet entre la médina et le Guéliz). Les tarifs doublent la nuit. Les petits taxis prennent au plus trois personnes et effectuent un trajet inférieur à 40 km. Pour une distance plus longue, prenez un grand taxi.

Les grands taxis – Ces vieilles américaines ou Mercedes blanches assurent les transports collectifs dans les **zones interurbaines**. Les prix sont fixes et le départ n'a lieu que lorsque le taxi est complet (six clients). Si vous êtes pressé ou souhaitez partir seul, le chauffeur consentira à vous prendre si vous payez les places des absents. Vous pouvez également louer le taxi pour une journée entière, pour une excursion par exemple, auquel cas vous devrez négocier fermement avant le départ. Cette solution revient moins cher que la location d'une voiture (renseignez-vous sur les tarifs des agences), vous évite quelques sueurs froides au volant, et vous fait bénéficier en prime des conseils et des connaissances du chauffeur.

Téléphone

De l'étranger vers le Maroc

☏ 00 + 212 + le numéro de votre correspondant sans le 0 initial (ce qui fait un numéro à 9 chiffres).

ViaMichelin

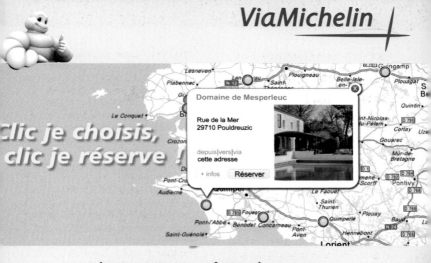

Clic je choisis, clic je réserve !

Du Maroc vers l'étranger

✆ 00 + l'indicatif du pays (33 pour la France, 32 pour la Belgique, 41 pour la Suisse, 1 pour le Canada) + le numéro de votre correspondant (sans le 0 pour la France).

Tarifs – Pour appeler la France et la majorité des pays d'Europe, comptez près de 14 DH (1,30 € env.)/mn. Une réduction de 40 % est appliquée du lundi au vendredi de 0h à 7h, le samedi toute la journée sauf entre 7h et 12h30, ainsi que les dimanches et jours fériés. En semaine, vous bénéficiez d'une réduction de 20 % si vous téléphonez entre 22h et 0h.

À l'interieur du Maroc

Depuis mars 2009, tout appel (local ou interurbain) se compose de **10 chiffres** (au lieu de 9 auparavant). Le numéro commence par **0**, puis viennent désormais le **5** (pour les postes fixes) ou le **6** pour les portables, puis l'indicatif de la zone (**2** pour Marrakech et Essaouira) ou des téléphones portables (1, 4, 5, 6, 7).

Tarifs – Pour une communication locale à partir d'un téléphone public, comptez 1,5 DH (0,14 € env.)/12mn. Les tarifs sont réduits de 40 % du lundi au vendredi de 20h30 à 0h, le samedi de 12h30 à 0h, ainsi que les dimanches et jours fériés. Une réduction de 50 % est accordée de 0h à 7h, et de 10 % entre 12h30 et 14h.

Téléphone mobile

Le Maroc est couvert par deux réseaux de téléphonie mobile, **Maroc Telecom (IAM)** et **Méditel**, qui ont des accords avec la majorité des opérateurs étrangers. Votre mobile se connecte automatiquement à l'un ou l'autre à votre arrivée sur le territoire marocain. Les opérateurs français proposent diverses options internationales, selon votre forfait habituel, mais attention, les appels hors forfait sont souvent chers.

Les numéros de téléphones portables marocains commencent par **061, 064, 065, 066 ou 067** et comptent, depuis mars 2009, **10 chiffres** au total. Attention, appeler un mobile d'une cabine épuisera le crédit de votre carte en un temps record !

Maroc Telecom – www.mobileiam. ma. Le service prépayé Jawal de Maroc Telecom vous permet d'émettre et de recevoir des appels nationaux et internationaux. Il vous suffit d'acquérir un kit de connexion Jawal (30 DH-2,70 € env.), valable un an, pour disposer d'une carte Sim, d'un numéro d'appel et de 10 DH (0,90 € env.) de communications, puis de recharger votre compte avec les cartes Jawal (à partir de 50 DH-4,50 € env.), en vente dans les boutiques Maroc Telecom et dans de nombreux commerces.

Méditel – www.meditel.ma. Méditel propose un service prépayé similaire au précédent. Il vous suffit d'acquérir un pack de connexion MédiJahiz (70 DH-6,40 € env.), valable six mois, puis de recharger votre compte avec les cartes en vente dans les boutiques Méditel et dans de nombreux commerces.

Téléboutiques et cabines téléphoniques

Vous trouverez partout des téléboutiques (8h-20h), souvent équipées d'un fax, où le paiement s'effectue au guichet à la fin de la communication. Les cabines téléphoniques sont à pièces ou à cartes. Celles-ci sont vendues dans les téléboutiques et dans la plupart des bureaux de tabac.

Transports en commun

Autocar
Pour vous rendre de Marrakech à Essaouira, vous pouvez choisir de prendre l'autocar.
CTM – ☏ 05 24 43 44 02 ou 05 24 44 83 28. Deux départs par jour pour Essaouira à 8h et 12h (durée : 3h). Les prix, légèrement plus élevés que ceux des autres compagnies, se justifient par le confort des cars et la climatisation. L'enregistrement des bagages a lieu une heure avant le départ.
Supratours – ☏ 05 24 43 55 25 - www.supratours.ma. Cette filiale de l'ONCF est particulièrement pratique pour aller de Marrakech à Essaouira. Les bus climatisés partent d'un terminal situé à côté de la gare ferroviaire (av. Hassan II, Guéliz). Quatre bus par jour pour Essaouira (durée : 2h30 ; 60 DH-5,50 € env.). Il faut enregistrer ses bagages avant de monter dans le bus (5 DH-0,45 € env. par bagage).
On trouve aussi des compagnies privées, qui permettent d'effectuer certains trajets dans de meilleures conditions de confort, à des prix souvent très compétitifs.
Gare routière de Marrakech – Pl. el-Mourabitène - Bab Doukkala - ☏ 05 24 43 39 33.

Bus
☍ *« Arriver à Marrakech », p. 1.*

Vélo et deux-roues

Il peut être agréable de se déplacer à vélo ou à scooter dans la palmeraie de Marrakech ou à Essaouira. Mais attention à la circulation dans les villes nouvelles.
À Marrakech :
Loc2Roues – galerie Élite - 1er étage - 212 av. Mohammed V - Guéliz - ☏ 05 24 43 02 94 ou 06 65 13 04 53 - www.loc2roues.com - 9h-19h30. Scooters (200 DH-18 € env./5h, 300 DH-27 € env./j. , 350 DH-32 € env./24h) et motos (300 DH-27 € env./5h, 500 DH-45 € env./j., 600 DH-54 € env./24h). Itinéraires illustrés d'une demi-journée ou d'une journée autour de Marrakech.
Cycles Mabrouka – r. Bab Agnaou - Médina - ☏ 05 24 44 24 20 ou 06 66 88 73 22. Location de vélos. 40 DH (3,60 € env.) la demi-journée, 80 DH (7 € env.) la journée.
Bazar des Souvenirs – 18 r. de la Recette (à côté de l'hôtel Gallia) - Médina - ☏ 05 24 39 14 34 ou 06 60 54 29 78. Location de vélos. 10 DH (0,90 € env.)/h.
Deux loueurs privés sont installés en journée devant l'**hôtel El Andalous**, av. du président Kennedy, Hivernage. 15 DH (1,35 € env.)/h, 50 DH (4,50 € env.)/4h, 100 DH (9 € env.)/j.
À Essaouira :
Chez Bounar Saïd – 131 r. Mohammed el-Qory (près de Bab Marrakech) - ☏ 05 24 47 37 38 - 8h30-20h (fermé vend. 12h-15h). Vélos de qualité avec antivol et petit outillage pour 50 DH (4,50 € env.)/j., 30 DH (2,70 € env.) la demi-journée. Bon accueil.

Visites guidées

À pied

Si vous souhaitez visiter Marrakech ou ses environs avec un guide, contactez l'office de tourisme *(voir p. 7)* : 150 DH (14 € env.) la demi-journée, 250 DH (23 € env.) la journée pour la découverte de la ville. Renseignez-vous aussi dans votre hôtel.

En bus touristique

Marrakech Tour – ℘ 05 25 06 00 06. Ces bus à impériale permettent de visiter la ville avec un billet valable 24 ou 48h (achat du billet auprès du chauffeur), et la possibilité de monter et descendre librement à l'un des arrêts du circuit. Bus toutes les 20mn. Visite commentée avec système audio multilingue. Deux parcours au choix : le « Marrakech Monumental » dessert la médina, le quartier du Guéliz, l'Hivernage et la Ménara (18 arrêts, billet valable 24h, 130 DH-11,80 € env., enf. 65 DH-6 € env.) ; le « Marrakech romantique » emprunte le circuit de la Palmeraie et passe par le jardin Majorelle (7 arrêts - billet valable 48h - 200 DH-18 € env. - enf. 100 DH-9 € env.).

Voiture

Location

Il faut compter de 30 à 60 € par jour pour un véhicule de catégorie A (Fiat Uno ou Palio) et de 100 à 200 € par jour pour un 4x4, assurances comprises et kilométrage illimité.
La plupart des agences internationales ont des représentants au Maroc, à l'aéroport et dans le centre de Marrakech, par exemple :

Hertz – ℘ 01 39 38 38 38 - www.hertz. fr ; aéroport de Marrakech-Ménara - ℘ 05 24 24 72 30 ; 154 av. Mohammed V - Guéliz - ℘ 05 24 43 99 84.

Europcar – ℘ 0 825 358 358, www. europcar.fr ; aéroport de Marrakech-Ménara - ℘ 05 24 43 77 18 ; 63 bd Mohammed Zerktouni - Guéliz - ℘ 05 24 43 12 28.

Avis – ℘ 0 820 05 05 05 - www.avis. fr ; aéroport de Marrakech-Ménara - ℘ 05 24 43 31 69 ; 137 av. Mohammed V - Guéliz - ℘ 05 24 43 25 25.

De nombreuses petites agences les concurrencent, notamment à Marrakech :

Beautiful Car – 92 bd Zerktouni - 1er étage - appart. no 2 - Guéliz - ℘ 05 24 44 99 87 - www.beautiful-car. com.

Concorde Car – 154 bd Mohammed V - 1er étage - appart. no 11 - Guéliz - ℘ 05 24 43 11 16 - concordecar.ifrance. com.

First Car – 234 bd Mohammed V - Guéliz - ℘ 05 24 43 87 64/66 ou 06 61 45 45 62 ou 05 24 43 95 09 (aéroport) - www. firstcar.ma.

KAT – 68 av. Zerktouni - Guéliz - ℘ 05 24 43 01 75 ou 06 61 15 80 31 - www.katcar-marrakech.com.

Lune Car – 111 r. de Yougoslavie - Guéliz - ℘ 05 24 43 43 69 - lunecar@iam.net.ma.

Najm Car – À l'angle de l'avenue Mohammed V et de la rue Mohammed el-Bequal - Guéliz - ℘ 05 24 43 79 09 ou 06 61 15 61 12 - www.najmcar.com.

Code de la route

Le Maroc a adopté la **signalisation internationale**. Celle-ci est généralement écrite en arabe et en

cartes & guides MICHELIN
UNE MEILLEURE FAÇON DE VOYAGER

cartes et atlas MICHELIN

Les guides Verts MICHELIN

guide MICHELIN

Les guides Voyager Pratique MICHELIN

MICHELIN
Une meilleure façon d'avancer

français. Attention, les règles de priorité sont identiques aux nôtres, à l'exception des ronds-points, où la priorité à droite reste de mise.

La **vitesse** est limitée à 120 km/h sur les autoroutes, 110 km/h sur les routes et entre 20 et 60 km/h dans les bourgs et agglomérations. Le **port de la ceinture de sécurité** est obligatoire même si cela n'est pas souvent respecté. En règle générale, soyez très vigilant sur la route, surtout près des villes. Entre les nombreuses familles qui se déplacent à trois ou quatre sur une mobylette, les bourricots qui trottinent au milieu de la chaussée, les poids lourds et les fous du volant, il n'est pas toujours évident de se frayer un chemin sécurisé !

Se garer en ville

Marrakech – Vous trouverez, dans la médina, plusieurs parkings surveillés : les plus pratiques se situent près de la place Jemâa el-Fna, de Bab Agnaou, de la préfecture ou des mosquées Sidi ben Slimane et Sidi bel Abbès. Il faut remettre au gardien quelques pièces au moment du départ (de 2 à 5 DH-0,20 à 0,45 € env. pour quelques heures ; de 10 à 15 DH-0,90 à 1,35 € env. pour la nuit).

Essaouira – Dans la médina, vous vous promènerez uniquement à pied. Il y a de vastes parkings payants près de la place Moulay Hassan, de Bab Sebaa et Bab Marrakech (comptez 10 DH-0,90 € env. pour la journée ou la nuit).

Agenda culturel

Rendez-vous annuels

JANVIER
Marrakech
→**Marathon international** – Cette course, dont le départ a lieu chaque année place Jemâa el-Fna, réunit coureurs anonymes et champions. www.marathon-marrakech.com.

MARS
Marrakech
→**Festival de la magie** – Spectacles et démonstrations de magiciens et d'artistes humoristiques se déroulent en plusieurs lieux, tels que la place Jemâa el-Fna, le Théâtre royal et le palais des Congrès.

AVRIL
Marrakech
→**Festival Jardin'Art** – Dédié à l'art du jardin, il explore tous les ans pendant trois jours un thème différent. Il constitue un bon espace de rencontre tant pour le grand public que pour les professionnels. www.jardinsdumaroc.com/festival.

Essaouira
→**Festival de la musique malhoune** – Véritable art poétique, le *malhoun* a été influencé à travers les âges par les rythmes de la musique andalouse et des chants populaires. Le festival fait redécouvrir les maîtres précurseurs de ce mouvement artistique.

→**Moussem des Regraga** –
De nombreuses manifestations
émaillent ce pèlerinage qu'effectuent
les Regraga, membres d'une
confédération de tribus Chiadma,
entre l'oued Tensift au nord et la ville
d'Essaouira au sud, commémorant, dit-
on, la visite que firent les sept saints au
Prophète, qui leur donna pour mission
d'islamiser le Sud marocain.

MAI
Essaouira
→**Printemps musical des Alizés** –
Pendant quatre jours, des concerts
gratuits de musique classique attirent
une foule de mélomanes à Dar Souiri
et à l'entrée de Bab el Minzah. www.
alizesfestival.com.

JUIN
Essaouira
→**Festival gnaoua et musiques du
monde** – Pendant trois ou quatre jours,
sur la place Moulay Hassan et devant la
porte Bab Marrakech. Les « performances »
de rue sont gratuites. Colloque sur la
musique gnaouie et *lila*, nuit rituelle de
transe. www.festival-gnaoua.co.ma.
→**Moussem de Sidi Magdoul** –
En hommage au saint de la ville.

JUILLET
Marrakech
→**Festival national des arts
populaires** – Une grande variété de
danseurs et de chanteurs se produisent
dans l'enceinte du palais el-Badi. Ce
festival s'achève par une parade allant
de Jnane Harti à la place Jemâa el-Fna.
Son ampleur, sa qualité, son authenticité
attirent un public exigeant et nombreux.

AOÛT
Essaouira
→**Festival des jeunes talents** –
Pendant deux ou trois jours mi-août, les
jeunes talents de la musique gnaouie se
produisent place Moulay Hassan.

SEPTEMBRE
Marrakech
→**Festival international du film** –
Pendant cinq jours, des projections
sont organisées dans les salles de
cinéma de la ville, au palais el-Badi ou
en plein air, sur la place Jemâa el-Fna.
Le palais des Congrès, sur l'avenue
Mohammed VI, rassemble l'ensemble
des services du festival, notamment la
billetterie. www.festival-marrakech.
com.

Essaouira
→**Festival international des
Andalousies atlantiques** –
Ce forum culturel à vocation
pluridisciplinaire réunit des artistes
et intellectuels originaires du
Maroc, de l'Espagne, du Portugal,
du Mexique et du Brésil, à l'occasion
d'une programmation éclectique :
concerts, ateliers artistiques, colloques,
expositions, etc. Les concerts sont
organisés sur la place Moulay Hassan,
sur le port, ainsi que dans certains
riads.

DÉCEMBRE
Essaouira
→**Festival de l'étrange** – Lancée par
l'Alliance franco-marocaine, le festival
contribue au dialogue des cultures
(arts plastiques, danse, théâtre,
musique...).

23

La main de Fatma, contre le mauvais œil.

Roques Jean Chris / Fotolia

Nos adresses

Se loger

À **Marrakech**, vous trouverez dans la **médina** des **hôtels** très bon marché et des centaines de **riads** transformés en maisons d'hôte. Séjourner dans les quartiers du Guéliz (ville nouvelle) et de l'Hivernage présente en revanche peu d'intérêt. C'est là que se concentrent les grands hôtels accueillant des groupes. À **Essaouira**, les hôtels et riads de charme constituent l'un des agréments de la ville. Ils comportent généralement moins d'une vingtaine de chambres. Pour les festivals et les mois d'été, pensez à réserver. La plupart des établissements majorent leurs tarifs d'environ 15 % pendant la période du Festival gnaoua (en juin).

Les adresses sélectionnées ci-dessous sont positionnées sur le plan à l'intérieur de la couverture ou sur les plans pages 90 et 91 pour les adresses situées à Essaouira ; elles sont repérables grâce à des pastilles numérotées (ex. ① placées devant le nom de chaque établissement.

Médina

→HÔTELS

MOINS DE 150 DH (14 € ENV.)
⑤ **Hôtel Challah** – **F4 sur plan général** - 14 derb Skaya, r. Riad Zitoun el-Kédim - ☎ 05 24 44 29 77 - 13 ch. - pas de petit-déj. Cet hôtel tranquille offre un bon rapport qualité-prix. Il possède une grande cour plantée d'orangers et encadrée de salons marocains. À l'étage, les petites chambres, dotées d'un lavabo, et de fenêtres avec grilles en fer forgé, sont propres.

Sanitaires communs. Terrasse. Un conseil : si vous avez réservé, soyez ponctuel, car les chambres sont vite réattribuées !
⑩ **Hôtel El Atlal** – **F4 sur plan général** - 48 r. de la Recette - ☎ 05 24 42 78 89 - 16 ch. - pas de petit-déj. Une excellente adresse pour les petits budgets. Cet hôtel simple, clair et bien tenu dispose de chambres avec lavabo (120 DH-11 € env.) ou salle de bains (150 DH-14 € env.), une literie correcte et des sanitaires en bon état. Accueil charmant. On regrette seulement qu'il n'y ait pas de terrasse !

DE 150 À 300 DH (14 À 27 € ENV.)
⑦ **Hôtel Dar Youssef** – **F4 sur plan général** - 114 derb Sidi Bouloukat, r. Riad Zitoun el-Kédim - ☎ 05 24 39 16 44 et 06 60 40 44 13 - 16 ch. Un récent petit hôtel dans cette ruelle qui en compte déjà plusieurs. Joli décor de zelliges et de boiseries peintes. Et propreté absolue.
④ **Hôtel Central Palace** – **F4 sur plan général** - 59 derb Sidi Bouloukat, r. Bab

---

SE RÉPÉRER À MARRAKECH
Pour vous aider à vous retrouver dans la médina, nous indiquons dans les adresses de ce guide le nom de la ruelle *(derb)* dans laquelle se situe l'établissement, puis le nom de la rue à partir de laquelle on y accède et, si besoin, le nom du quartier. Si vous êtes perdus, demandez votre chemin à un commerçant.

Agnaou - ☏ *05 24 44 02 35 ou 06 61 58 27 65 - www.lecentralpalace.com - 40 ch. -* 🛏 *- petit-déj. 25 DH (2,30 € env.) - réserv. conseillée.* Cet hôtel, situé à deux pas de la place Jemâa el-Fna, ne désemplit pas. Il faut dire qu'il offre à la fois le charme d'une ancienne demeure et un accueil aimable, à un prix intéressant. Joli cadre déclinant des tons harmonieux à dominante de beige et de vert autour d'un patio. La moitié des chambres dispose d'une salle de bains (205 DH-18 € env.). Certaines sont climatisées et sont équipées d'un télé (305 DH-27 € env.).

① **Hôtel Ali** – E4 sur plan général - *r. Moulay Ismaïl -* ☏ *05 24 44 49 79 - www. hotelali.com - 45 ch. -* 🛏 ✕ *- petit-déj. inclus.* Fréquenté en majorité par de jeunes routards, cet hôtel aéré et coloré est idéalement situé à 50 m de la place Jemâa el-Fna. Les chambres sont simples et d'une propreté irréprochable. Demandez celles qui possèdent un balcon (notamment la n° 219) ou qui ouvrent sur la cour (les autres sont bruyantes). Salons marocains et belle terrasse donnant sur la place. Hammam (inclus dans le prix de la chambre), massages, cybercafé, bureau de change et agence de voyages.

DE 300 À 500 DH (27 À 45 € ENV.)

⑫ **Hôtel du Trésor** – F4 sur plan général -*77 derb Sidi Bouloukat, r. Riad Zitoun el-Kédim -* ☏ *05 24 37 51 13 - www. hotel-du-tresor.com - 14 ch. -* ✕ 🛏 ⊠ *- petit-déj. inclus.* Une adresse qui tranche dans ce quartier d'hôtels pour petits budgets proche de la place Jemâa el-Fna. Meubles design et belles boiseries. Charme et sobriété, le tout à prix doux.

㉓ **Hôtel Sherazade** – F4 sur plan général - *3 derb Jemâa, r. Riad Zitoun el-Kédim -* ☏ *05 24 42 93 05 - www. hotelsherazade.com - 23 ch. -* 🛏 ✕ CC *- petit-déj.à volonté (50 DH-4,50 € env. - 1/2 pension (150 DH-14 € env./pers.) et pension complète (250 DH-23 € env./pers.) - réserv. indispensable.* Un lieu bien agréable, tant pour le cadre, conçu dans le style traditionnel marocain, que pour l'accueil. Vous pourrez vous détendre dans les deux patios verdoyants et fleuris, dans les salons marocains, ou sur la grande terrasse, d'où le coucher de soleil sur la Koutoubia est à ne pas manquer. Les chambres, toutes différentes, se répartissent sur trois niveaux. Leur prix varie selon l'étage, le confort (certaines sont climatisées) et la saison. Quatre d'entre elles, moins chères (230 DH-21 € env.), partagent une salle de bains. Évitez celles qui sont collées à la mosquée voisine ! Une belle adresse, mais qui peut s'avérer bruyante.

② **Hôtel Assia** – F4 sur plan général - *32 r. de la Recette -* ☏ *05 24 39 12 85 - www.hotel-assia-marrakech.com - 26 ch. -* 🛏 ✕ CC *- petit-déj. inclus - plats marocains sur commande.* Un hôtel bien situé, dans une ruelle calme et centrale. Très soigné, le cadre allie confort et matériaux traditionnels : zelliges, fer forgé et cuivre, bois et tedlakt jouent sur les camaïeux de beiges et de bruns. Beau patio et terrasse avec vue sur la Koutoubia et l'Atlas. Accueil attentionné.

⑭ **Jnane Mogador Hôtel** – F4 sur plan général - *116 derb Sidi Bouloukat, r. Riad Zitoun el-Kédim -* ☏ *05 24 42 63 24 - www. jnanemogador.com - 17 ch. -* 🛏 ✕ CC *- petit-déj. : 40 DH (3,60 € env.) - plats* *marocains sur commande*. À deux pas de la place Jemâa el-Fna, derrière une magnifique porte du 19e s., se cache un hôtel de charme. Meublées de fer forgé, les confortables chambres s'agencent autour d'un joli patio couvert de zelliges, avec fontaine et colonnes en tedlakt. La superbe terrasse verdoyante, le solarium et le hammam (125 DH-11 € env.) invitent à la détente. L'hôtel est souvent complet : pensez à réserver.

⑪ **Le Gallia** – F4 sur plan général - *30 r. de la Recette - ☎ 05 24 44 59 13 ou 05 24 39 08 57 - www.ilove-marrakech. com/hotelgallia - 17 ch. -* 🖥 🆑 *- petit-déj. inclus*. Réservez un à deux mois à l'avance. Un hôtel plein de raffinement à proximité de la place Jemâa el-Fna. Son vaste patio, où murmure une fontaine, est un havre de fraîcheur. Marbre, céramique et grilles en fer forgé blanc aux fenêtres concourent aussi à cette élégance toute orientale. Chambres de tailles inégales, sobres et décorées avec goût, mais demandez à en voir plusieurs, car toutes n'ont pas le même cachet. Belle terrasse.

PLUS DE 2 000 DH (182 € ENV.)

⑬ **Les Jardins de la Médina** – F5 **sur plan général** - *21 derb Chtouka, Kasbah - ☎ 05 24 38 18 51 - www. lesjardinsdelamedina.com -36 ch. -* 🖥 ✕ ▼ 🛋 🆑 *- petit-déj. inclus*. Blottie à l'ombre des remparts et d'un jardin arboré, cette demeure cache un petit bijou d'hôtel offrant tout le confort moderne sans rien céder au raffinement oriental. Les matériaux traditionnels et un goût certain dans la décoration participent à l'élégance du cadre comme

des chambres, toutes personnalisées. La plupart possèdent une cheminée, certaines une terrasse. On s'attable en salle ou en terrasse pour savourer une cuisine marocaine et méditerranéenne raffinée. Hammam, jacuzzi, centre de beauté et espace fitness.

⑮ **La Maison Arabe** – E3 sur plan **général** - *1 derb Assehbe, Bab Doukkala - ☎ 05 24 38 70 10 - www.lamaisonarabe. com - 17 ch. -* 🖥 ✕ ▼ 🆑 *- petit-déj. inclus*. Cet ancien restaurant légendaire, créé par deux Françaises dans les années 1940 et fréquenté à cette époque par diverses personnalités, a ressuscité sous la forme d'un luxueux hôtel. Ses 17 chambres, dont 11 suites avec terrasse, certaines avec cheminée, s'articulent autour de deux patios où embaume le jasmin. Les salons, aux couleurs chaudes, abondent d'objets précieux. Excellent restaurant *(voir « Se restaurer », p. 41)*. Hammam et massages. Accès Internet libre. Navette gratuite (10mn de trajet) pour un magnifique jardin où vous pourrez profiter de la piscine, réservée exclusivement à la clientèle, et déjeuner sur place. Stage de cuisine marocaine.

PLUS DE 3 000 DH (273 € ENV.)

⑯ **La Mamounia** – D4 sur plan général - *av. Bab Jdid - ☎ 05 24 38 86 00, réserv. en France : ☎ 0 800 136 136 (appel gratuit) - www.mamounia.com - 171 ch. -* 🖥 ✕ 🛋 🆑 *- petit-déj. : 250 DH (23 € env.)*. Ce somptueux palace, édifié en 1923, fut fréquenté par une pléiade de célébrités (Churchill, Pasolini…) et bénéficie toujours d'une renommée internationale. Le plafond de Majorelle, les peintures de Jean Besancenot et les jardins grandioses sont encore là pour honorer le passé. L'hôtel a

Le salon d'une suite de la Mamounia.

fait peau neuve en 2009. Si votre budget ne vous permet pas d'y séjourner, venez au moins y prendre un verre et profitez-en pour le visiter *(voir p. 78)*.

→MAISONS D'HÔTE ET RIADS

Agences de location de riads

Marrakech Riads – E3 sur plan général - *Dar Chérifa - 8 derb Cherfa Lakbir, Mouassine - ℘ 05 24 42 64 63 ou 05 24 39 16 09 - www.marrakech-riads.net - tlj 8h30-18h30*. Abdellatif Aït Ben Abdallah gère 7 riads pouvant accueillir de 2 à 30 pers. et classés en 3 catégories (de 3 à 5 lanternes) selon leur aménagement. Comptez de 450 à 1 200 DH (41 à 109 € env.) la chambre avec petit-déjeuner, de 1 700 à 13 300 DH (154 à 1 209 € env.) le riad entier. Prix majorés de 20 % en haute saison.

Marrakech-Médina – E3 sur plan général - *102 r. Dar el-Bacha - ℘ 05 24 44 24 48 (Marrakech) - ℘ 01 43 25 98 77 (Paris) - ℘ 05 57 51 52 53 (Bordeaux) - www.marrakech-medina.com.* Location de riads dans la médina, de villas ou de fermes aux environs. Les 29 maisons d'hôte sont classées en 5 catégories (de 1 à 5 palmiers). En haute saison, comptez de 600 à 4 000 DH (55 à 364 € env.) la chambre avec petit-déj., de 3 000 à 25 000 DH (273 à 2 273 € env.) le riad.

Riads au Maroc – C3 sur plan général - *1 r. Mahjoub Rmiza - Guéliz - ℘ 05 24 43 19 00 - www.riadomaroc.com.* Les 43 riads en location sont classés en 5 catégories (de 1 à 5 lanternes). Large fourchette de prix allant, en haute saison, de 350 à 3 400 DH (32 à 310 € env.) la chambre.

DE 450 À 600 DH (41 À 55 € ENV.)

㉔ **Tlaatawa Sitteen (ancien Dar Bleu)** – E2 sur plan général - *63 derb el-Feranne, r. Riad el-Arous - ℘ 05 24 38 30 26 ou 06 63 59 92 23 - www.tlaatawa-sitteen.com - 5 ch. -* ✗. Une maison d'hôte authentique. Dans ce petit riad soigné et plein de charme (son nom signifie « 63 », son numéro dans la rue), pas de luxe dans le décor, pas de chichi. Kamal vous reçoit chez lui en toute simplicité. Dans une ambiance décontractée et familiale, on partage les deux salles de bains, on dîne volontiers ensemble, à la marocaine, et le matin, on se retrouve sur l'agréable terrasse pour un copieux petit-déjeuner. Excursions.

⑯ **Dar R'Mane** – E3 sur plan général - *27 derb Snane, r. Sidi el-Yamani - Mouassine - ℘ 05 24 44 28 50 ou 06 61 08 54 08 - www.dar-rmane.com - 4 ch. -* 🖥 ✗ - *repas sur commande (120 DH-11 € env.).* Une adresse intime et pleine de charme à prix doux. Les chambres s'organisent autour d'un patio très verdoyant où fleurissent orangers et bougainvillées. Matériaux traditionnels, mobilier en bois, tentures et tapis, vaste salle de bains en tedlakt donnent un certain caractère à l'ensemble. La terrasse, bien aménagée, invite à la détente.

⑰ **Riad Alisma** – G4 sur plan général - *50 r. de la Bahia, Riad Zitoun el-Jdid - ℘ 05 24 37 89 35 (Maroc) ou 06 11 64 05 27 (France) - www.riadalisma.com - 5 ch. -* 🖥 ✗ - *repas sur demande (120 DH).* Situé au cœur du quartier historique, cet authentique riad est aux couleurs de terre du désert. La magie opère dès l'arrivée. L'accueil chaleureux, la douceur du patio, la décoration simple et élégante des chambres sont les atouts majeurs de cette charmante maison d'hôte.

DE 600 À 800 DH (55 À 73 € ENV.)

⑧ **Dar Zouar** – E2 sur plan général - *14 derb Mahrouk, Bab Taghzout, Sidi bel Abbès - ☎ 05 24 38 22 85 ou 06 61 24 16 96 - www.darzouar.com - 5 ch. - ✗ CC - copieux petit-déj. - dîner sur commande (200 DH-18 € env., boisson comprise).* Bien situé (bus, taxis et parking à proximité) dans le quartier nord, encore authentique, de la médina, ce confortable riad à l'ambiance décontractée et raffinée offre un bon rapport qualité-prix : grand patio décoré de plantes et de peintures colorées, salon avec cheminée, belle terrasse, chambres sobres restaurées avec goût (deux avec cheminée).

⑲ **Riad Ker Saâda** – F4 sur plan général - *28 derb el-Arsa, r. Riad Zitoun el-Jdid, Kennaria - ☎ 05 24 42 63 40 ou 06 70 95 75 66 - www.riadkersaada.com - 5 ch. - ▦ ✗ - repas sur commande.* Voilà une maison d'hôte où il fait bon vivre, dans un quartier paisible, entre la place Jemâa el-Fna et le musée Dar Si Saïd. L'accueil discret et attentionné de Cheriff y est pour beaucoup. Les chambres, très gaies, décorées avec goût, s'organisent autour du ravissant patio. À l'ombre des bananiers, ce dernier fait office de salon et de salle à manger lorsque la terrasse est trop chaude. L'hiver, vous dînerez dans le salon intérieur.

DE 800 À 1 000 DH (73 À 90 € ENV.)

㉑ **Riad Sahara Nour** – D3 sur plan général - *118 derb Dekkak, Bab Doukkala - ☎ 05 24 37 65 70 ou 06 15 76 12 13 - www.riadsaharanour-marrakech.com - 5 ch. - ✗ 🍷 - copieux petit-déj. - repas sur commande (22 €, boisson comprise).* Ce

charmant riad au vaste patio noyé sous les arbres fruitiers est bien plus qu'une simple maison d'hôte. François et Lucile ont fait de leur palais un centre de création artistique, doté d'une bibliothèque remplie de carnets de voyage et d'une salle de musique où la voix de la maîtresse de maison se mêle parfois aux notes des musiciens de passage. Les chambres bénéficient d'une décoration soignée, faite de matériaux nobles, de tapis et de meubles en bois peint.

㉒ **Riad Samsara** – E2 sur plan général - *6 derb el-Aarsa, Bab Taghzout, Sidi bel Abbès - ☎ 05 24 37 86 05 ou 06 70 95 72 24 - www.riadsamsara.com - 3 ch. - ▦ ✗ - repas sur commande.* Niché au nord de la médina, ce beau riad restauré avec goût (bois de cèdre sculpté, fer forgé, zelliges, marbre) se distingue par le calme et la sérénité des lieux. Magnifique patio fleuri, chaleureux salon marocain avec cheminée, chambres raffinées et jolie vue sur la mosquée Sidi bel Abbès depuis la terrasse. Hammam. Accueil très soigné.

DE 1 000 À 1 500 DH (90 À 136 € ENV.)

⑳ **Riad Safar** – E3 sur plan général - *29 derb Ouihah, Sidi Abdel Aziz - ☎ 05 24 39 10 10 (Maroc) ou 06 65 44 22 33 (France) - 4 ch. - ▦ ✗ - repas sur commande (220 DH-20 € env.).* Ce superbe riad du 18e s. passe pour être l'un des plus beaux de la médina. La rénovation dont il a fait l'objet n'a en rien altéré sa beauté originale. Le patio est un sommet de raffinement avec sa fontaine en zelliges, ses linteaux en bois sculpté et ses boiseries. Les chambres, chaleureuses et colorées, partagent cette élégance. Sur l'agréable terrasse,

31

un bassin permet de se rafraîchir. Hammam et massages.

DE 1 500 À 2 000 DH (136 À 182 € ENV.)

⑱ **Riad el Arsat** – F3 sur plan général - *10 bis derb Chemaa, r. Arset Loughzail - ℘ 05 24 38 75 67 ou 06 61 58 27 49 - www. riad-elarsat-marrakech.com - 8 ch. -* 🔲 ✕ ⌇ 🆛 *- repas sur commande.* Une incroyable oasis au cœur de la médina ! Le pavillon d'été, avec son magnifique plafond en cèdre, et le pavillon d'hiver, avec ses cheminées, encadrent la piscine et un immense jardin où poussent orangers, citronniers, bambous, bougainvillées, figuiers et jasmins. Côté architecture, cette luxueuse propriété mêle avec bonheur les styles européens et orientaux d'inspiration Art déco.

Guéliz

③ **Le Caspien** – B2 sur plan général - *12 r. Loubnane - ℘ 05 24 42 22 82/83 - lecaspien@menara.ma - 38 ch. -* 🔲 ✕ ⌇ 🆛 *- petit-déj. : 50 DH (4,50 € env.).* Ce petit hôtel moderne a su préserver une certaine intimité. Chambres confortables et colorées, coquettes avec leurs salles de bains en zelliges et tedlakt. Préférez celles qui donnent sur la cour, à l'arrière, rafraîchie par une piscine. Accueil très agréable.

Palmeraie

DE 1 000 À 1 500 DH (90 À 136 € ENV.)

Les Deux Tours – Hors plan - *douar Abiad, à 6 km au N du centre-ville, après 1 km de piste à partir du circuit de la Palmeraie - ℘ 05 24 32 95 25 - www. les-deux-tours.com - 29 ch. -* 🔲 ✕ ⌇

🆛 *- petit-déj. inclus.* Ces six luxueuses villas, disséminées sur 3 ha de palmeraie, roseraie, oliveraie et orangeraie, ont été conçues par Charles Boccara, l'architecte de l'opéra de Marrakech, qui s'est inspiré de l'art hispano-mauresque du 14ᵉ s. et des riads de la médina. Chacune s'organise autour d'une cour et d'un jardin embaumant le jasmin et les bougainvillées, d'un bassin où se rafraîchir, d'un salon avec cheminée et de trois à cinq chambres ou suites, dont certaines avec terrasse et cheminée. Hammam traditionnel et massages.

Essaouira

→LOUER UN APPARTEMENT

DE 500 À 1 200 DH (46 À 109 € ENV.)

Agence Karimo – Plan p. 91 - *℘ 05 24 47 45 00 - www.karimo.net.* Une centaine d'appartements, riads et maisons à louer à Essaouira et ses environs.

Jack's Apartments – Plan p. 91 - *réservation au Jack's Kiosk - 1 pl. Moulay Hassan - ℘ 05 24 47 55 38 ou 06 61 09 63 71 - www.jackapartments. com ; ou à l'agence Karimo - ℘ 05 24 47 45 00 - www.karimo.net - 9 appart. et 2 ch. -* 🆛. Aménagés dans deux beaux bâtiments situés rue Ibn Zohr (impasse perpendiculaire à la rue de la Skala), de taille variable (2 à 8 pers.), ces logements, mignons et confortables, sont tous dotés d'une salle de bain et d'une cuisine équipée, certains d'une cheminée, d'autres d'une terrasse. Quelques-uns offrent une vue superbe sur les murailles et l'océan. Le ménage est fait quotidiennement. L'agence loue aussi des maisons ou des riads entiers dans la médina et ses environs (180 €/nuit).

➔HÔTELS ET RIADS

DE 150 À 300 DH (14 À 27 € ENV.)

② **Hôtel Cap Sim** – Plan p. 91 - *11 r. Ibn Rochd -* ℘*/fax 05 24 78 58 34 - hotelcapsim@menara.ma - 29 ch. -* CC *- petit-déj. inclus.* Pas de charme particulier, mais un bon rapport qualité-prix. Les chambres se répartissent sur quatre étages autour d'un patio couvert. 10 d'entre elles disposent de salle de bains privées (258 DH-24 € env.). Préférez une chambre avec fenêtre ouvrant sur l'extérieur, même si trois minarets à proximité peuvent perturber les sommeils légers. Vue magnifique depuis la terrasse sur le toit.

DE 300 À 450 DH (27 À 41 € ENV.)

⑩ **Résidence el-Mehdi** – Plan p. 91 - *15 r. Sidi Abdesmih -* ℘*/fax 05 24 47 59 43 - www.el-mehdi.net - 13 ch. -* ✕ ♟ *- petit-déj. inclus.* Cet établissement, simple mais assez confortable, n'est pas dénué de charme, avec son patio ouvert, sa collection de cartes postales anciennes aux murs ou les multiples plantes en pot qui ornent sa terrasse colorée. Les grandes chambres blanches donnent sur une galerie intérieure, certaines ont la télévision. Vous pouvez aussi louer deux très sympathiques suites à la déco hétéroclite sur la terrasse (550 et 850 DH-50 et 77 € env.).

⑦ **Hôtel Émeraude** – Plan p. 91 - *228 r. Chbanate -* ℘*/fax 05 24 47 34 94 - www. essaouirahotel.com - 10 ch. -* ✕ ♟ CC *- petit-déj. inclus - repas sur demande (120 DH-11 € env.).* À 2mn à pied de

Bab Marrakech, ce dar du 18e s. abrite de petites chambres douillettes très propres, aménagées autour du patio et équipées de lits fermés par des rideaux. Accueil charmant. Petit-déjeuner sur la terrasse au 4e étage avec vue sur la médina. Bon rapport qualité-prix.

⑪ **Résidence Vent des Dunes** – Plan p. 90 - *villas n° 20 et n° 26, quartier des Dunes -* ℘ *05 24 47 53 91 - www. essaouiranet.com/ventdesdunes - 17 ch. dans la villa n° 20, 11 studios dans la villa n° 26 -* ✕ *- petit-déj. inclus pour les chambres (30 DH-2,70 € env. pour les studios) - dîner sur réservation (70 DH-6,40 € env.).* Sise dans un quartier résidentiel, à 5mn à pied de la plage, cette adresse tenue par un Belge très accueillant offre un bon rapport qualité-prix. Des chambres simples, claires et propres, certaines avec salon ou balcon, sont installées dans une paisible villa couverte de bougainvillées. La villa d'en face abrite d'agréables studios avec coin cuisine (540 DH-49 € env.). Préférez celui du dernier étage avec sa terrasse privative.

DE 450 À 600 DH (41 À 55 € ENV.)

⑨ **Les Matins Bleus** – Plan p. 91 - *22 r. du Drâa -* ℘*/fax 05 24 78 53 63 - www. les-matins-bleus.com - 10 ch. -* ✕ CC *(paiement par carte majoré de 5 %) - petit-déj. inclus - dîner sur commande.* Au cœur de la médina, cette maison de famille souirie constitue une adresse chaleureuse, tenue par trois frères, Ahmed, Abdellatif et Samir, les sympathiques propriétaires. Murs blancs, balustrades et portes bleues, mobilier en bois ou en rotin égaient les

33

lieux. Quatre chambres ouvrent sur la terrasse, les autres (dont deux suites), sur le patio. Calme et propreté méticuleuse.

⑫ **Riad Hôtel Dar El-Qdima** – **Plan p. 91** - *4 r. Malek ben Rahal (perpendiculaire à l'avenue de l'Istiqlal)*, - ☏ 05 24 47 38 58 - www.darqdima.com - 14 ch. - ✕ CC - *petit-déj. inclus*. Repas sur commande avant 17h (90 DH-8,20 € env.). Plafonds en eucalyptus, portes en noyer, sols en zelliges fassis, salle de bains en tedlakt… Cette « ancienne maison » *(dar el-qdima)* a été restaurée dans le respect de la tradition. Très sobres, les chambres s'agencent sur deux niveaux autour d'un patio ou sur la terrasse (le prix est fonction de l'étage).

① **Hôtel Al Fath** – **Plan p. 91** - *6-8 r. de la Skala* - ☏ 05 24 47 44 92 - www.essaouiranet.com/hotel-elfath - 12 ch. - ✕ CC - *petit-déj. inclus*. Près de la place Moulay Hassan, cette vieille demeure aménagée en hôtel offre une vue imprenable sur le port et l'océan. S'il ne reste qu'une chambre sur cour (400 DH-36 € env.), vous vous consolerez sur la splendide terrasse panoramique. Zelliges fassis et tapis berbères participent au charme de l'ensemble.

⑤ **Dar Al Bahar** – **Plan p. 91** - *1 r. Touahen, quartier San Dion* - ☏/fax 05 24 47 68 31 - www.daralbahar.com - 9 ch. - ✕ - *petit-déj. inclus*. À deux pas des remparts maritimes, cette maison d'hôte se cache dans un quartier paisible, à l'écart des flots de touristes. Décorée avec goût et originalité, elle est impeccablement tenue, et le service y est attentionné. Certaines chambres donnent sur l'océan déchaîné (60 € ;

attention au vent !), les remparts ou une ruelle. Un duplex douillet pour deux personnes avec salon et cuisine équipée (950 DH-86 € env.).

⑥ **Dar Nafoura** – **Plan p. 91** - *30 r. Ibn Khaldoun* - ☏ 05 24 47 28 55 ou 06 61 69 70 76 - www.darnafoura.com - 10 ch. - ✕ CC - *petit-déj. inclus - fermé 15-31 janv.* Situé à proximité des souks, ce joli riad à l'élégante simplicité dégage une atmosphère intime. Chaque pièce, chambre ou salon, possède sa propre couleur et une décoration personnalisée dans laquelle transparaissent les origines finistériennes des propriétaires. L'ensemble ne manque pas de charme.

⑬ **Riad Marosko** – **Plan p. 91** - *66 r. d'Agadir* - ☏ 05 24 47 54 09 - www.riad-marosko.com - 7 ch. - ✕ CC - *petit-déj. inclus*. Un riad simple et propre, tenu par un couple de Rochelais. Les chambres possèdent pour la plupart une mezzanine et un petit salon. Elles se répartissent sur trois niveaux autour du patio, chaque étage déclinant une couleur différente. Superbe terrasse panoramique offrant une vue à 360° sur Essaouira, la médina et la plage.

⑭ **Riad Zahra** – **Plan p. 90** - *90 quartier des Dunes* - ☏ 05 24 47 48 22 - www.riadzahra.com - 26 ch. - ✕ ≋ CC - *petit-déj. inclus*. Inspirée de l'architecture arabo-andalouse avec son joli patio à arcades, cette adresse tient plus de l'hôtel que de la maison d'hôte. Plus ou moins spacieuses, les chambres, aux tons pourpres et verts, sont confortables et très bien tenues. Les plus chères jouissent d'une vue sur la mer. Grande terrasse sur le toit et belle piscine.

Les salons orientaux mêlent décoration traditionnelle et contemporaine.

34

⑤ **Villa Flora** – Plan p. 90 - *7 quartier des Dunes -* ☎ *05 24 47 39 46 - www.villaflora. ma - 9 ch. -* cc *- petit-déj. inclus.* À deux pas de la plage, cette maison familiale compte neuf chambres confortables dotées de terrasses privatives, réparties de part et d'autre d'un agréable jardin fleuri. Terrasse avec vue sur la mer. Accueil très sympathique.

DE 600 À 800 DH (55 À 73 € ENV.)

③ **La Casa del Mar** – Plan p. 91 - *35 r. d'Oujda -* ☎ *05 24 47 50 91 ou 06 68 94 38 39 - www.lacasa-delmar.com - 5 ch. -* ✕ *- petit-déj. inclus.* D'un blanc immaculé et conçue autour d'un puits de lumière, cette maison sent bon le soleil. Les chambres, spacieuses et claires, se répartissent sur trois niveaux. La belle pièce à vivre, le personnel jovial, l'atmosphère décontractée et la bonne humeur ambiante font que l'on se sent vite chez soi.

④ **Dar Adul** – Plan p. 91 - *63 r. Touahen (perpendiculaire à la rue Laâlouj) -* ☎ */fax 05 24 47 39 10 ou 06 71 52 02 21 - www. dar-adul.com - 7 ch. -* ✕ *- petit-déj. inclus - repas sur demande (150 DH-14 € env.).* Maison d'hôte intime et harmonieuse installée tout près des remparts maritimes. Pièces confortables, dans les tons bleus, blancs et ocre, agencées autour du patio et meublées avec soin par les propriétaires. Jolies salles de bains en zelliges. Terrasse sur le toit offrant une vue magnifique sur l'océan. Accueil chaleureux.

DE 800 À 1 000 DH (73 À 90 € ENV.)

⑯ **Villa Maroc** – Plan p. 91 - *10 r. Abdallah ben Yassine -* ☎ *05 24 47 61 47 - www. villa-maroc.com - 21 ch. -* ✕ 🍷 cc. Ce délicieux hôtel de charme se compose de quatre riads du 18ᵉ s. contigus et restaurés

avec beaucoup de goût. C'est un dédale de vieux escaliers, de patios noyés de verdure, de petits salons où l'on sert les repas au coin du feu (200 DH-18 € env.), de terrasses et de recoins intimes. Les chambres, décorées et équipées avec simplicité, possèdent chacune leur originalité. L'hôtel abrite un espace bien-être ouvert aux non-résidents.

DE 1 000 À 1 500 DH (90 À 136 € ENV.)

⑧ **Madada Mogador** – Plan p. 91 - *5 r. Youssef el Fassi -* ☎ *05 24 47 55 12 ou 06 61 77 53 13 - www.madada.com - 7 ch. -* 🛏 ✕ 🍷 *- petit-déj. inclus.* Conçue par le décorateur du Comptoir Paris-Marrakech, cette maison d'hôte tranche par la modernité de son style, qui met les matériaux traditionnels au service des lignes épurées et de l'harmonie des tons. Confort et élégance sont ici les maîtres mots. Une vaste terrasse domine les remparts, entre la plage et le port. Certaines chambres (110 €, 130 € avec vue sur la mer) ont, en plus, une terrasse privée.

1 400 DH ENV. (127 € ENV.)

⑰ **Villa Quieta** – Plan p. 90 - *86 bd Mohammed V (entrée rue Moulay Ali Chérif) -* ☎ *05 24 78 50 04/05 - www. villa-quieta.com - 12 ch. -* cc *- petit-déj. inclus.* Cette opulente villa, achevée en 1980 par un riche industriel pour y loger ses invités, a été transformée en maison d'hôte intime en 1996. Mobilier en thuya ou bois peint, tapis et objets d'art ont été choisis avec un soin particulier. Grand confort, ambiance feutrée et accueil distingué sont les qualités dominantes qu'apprécie une clientèle d'habitués. Les chambres sont spacieuses, certaines bénéficiant d'une vue sur la mer. Fastueux salons marocains et belle terrasse face à l'océan.

Se restaurer

À **Marrakech**, vous trouverez dans le Guéliz de nombreux cafés pour déjeuner sur le pouce. En revanche, il est prudent de réserver dans la plupart des restaurants. Dans les maisons d'hôte, où le repas sera préparé spécialement pour vous, il faut commander à l'avance.

Essaouira dispose d'une grande variété de restaurants, mais on regrette que la plupart soient aussi irréguliers dans la qualité de leur cuisine et de leurs services. Pire, plusieurs d'entre eux, même parmi les plus en vue, n'hésitent pas à utiliser des poissons congelés importés. C'est donc au petit bonheur la chance…

À Marrakech, comme à Essaouira, vous ne manquerez pas de tomber sur de multiples gargotes dans la **médina** ou dans les **souks**. Vous partagerez sans doute votre table avec d'autres clients. L'affluence est souvent signe que l'adresse est bonne.

Les adresses sélectionnées ci-dessous sont positionnées sur le plan à l'intérieur de la couverture ou sur le plans pages 90 et 91 pour les adresses situées à Essaouira ; elles sont repérables grâce à des pastilles numérotées (ex. ①) placées devant le nom de chaque établissement.

Médina

➔DÉJEUNER

MOINS DE 50 DH (4,50 € ENV.)

✕ ③ **Café-crémerie Toubkal** – F4 sur plan général - *46-48 pl. Jemâa el-Fna* - ☎ 05 24 44 22 62 - *tlj 7h-minuit*. L'une des meilleures adresses à petit prix de la place Jemâa el-Fna, pour goûter à une cuisine très simple. Salades, grillades, tajines, couscous, etc. La harira est servie aux environs de 16h. Goûtez les yaourts faits maison ou les pâtisseries orientales. Copieux petit-déjeuner (15 DH-1,35 € env.) avec de délicieuses crêpes marocaines.

⑤ **Earth Café** – F4 sur plan général - *2 derb Zouak, r. Riad Zitoun el-Kédim* - ☎ 06 60 54 49 92 - *www.earthcafemarrakech.com*. C'est sans doute le seul restaurant végétarien de Marrakech. Une cuisine à base de produits naturels qui séduira même les carnivores invétérés. Les plats du jour sont inscrits sur le miroir de l'agréable salle aux couleurs chaudes. Jolies salles à l'étage et boutique de produits régionaux (épices, huiles).

DE 50 À 100 DH (4,50 À 9 € ENV.)

⑨ **Marra-Book Café 55** – F4 sur plan général - *derb Kababa, av. des Princes* - ☎ 05 24 37 64 48 - *www.marrabook.com* - CC - *tlj 10h-23h*. Cette adresse est à la fois une librairie et un restaurant. On mange sur la terrasse ou dans une petite salle où des artistes locaux exposent temporairement leurs œuvres. Tajines, couscous, pâtes et un petit menu à 65 DH (6 € env.) : plat du jour, pâtisserie et boisson. Coup de cœur pour les 5 formules à base de feuilles de brick délicieusement préparées (à partir de 55 DH-5 € env.).

37

② **Café Palais El-Badia** – F4 sur plan général - *4 r. Berrima (à côté de la place des Ferblantiers), Mellah* - 𝒫 *05 24 38 99 75*. Une bonne adresse, économique et peu touristique, pour manger un tajine poulet-citron ou un kefta aux œufs en contemplant, de la terrasse, les cigognes du palais. Grand choix de salades fraîches et petits gâteaux croustillants servis avec le thé.

① **Café des Épices** – F3 sur plan général - *75 pl. Rahba Lakdima - 𝒫 05 24 39 17 70 ou 06 63 59 92 23 - www.cafedesepices.net*. Kamal Laftimi, le sympathique propriétaire du Dar Bleu, a ouvert un café au cœur du souk aux épices. Il fait bon y faire une pause dans une ambiance détendue et conviviale, et observer l'animation de la place en sirotant un thé ou en grignotant un sandwich.

DE 100 À 150 DH (9 À 14 €)

⑩ **Riad des Mers** – D2 sur plan général - *411 derb Sidi Messaoud, Bab Yacout, près du parking des grands taxis de la gare routière - 𝒫 05 24 37 53 04 - www.ilove-marrakech.com/riaddesmers -* 🍴 ⬚CC⬚ *- fermé lun*. L'un des rares restaurants de poissons et crustacés de Marrakech. Pas de carte, mais des suggestions du jour selon l'arrivage en provenance d'Essaouira, Oualidia ou Safi : les produits sont frais et de qualité. Le cadre de ce petit riad tout blanc à l'élégante sobriété est soigné. Formule plus chère à partir de 200 DH (18 € env.) pour le dîner.

④ **Dar Chérifa** – E3 sur plan général - *8 derb Chorfa Lakbir, Mouassine - 𝒫 05 24 42 64 63 - tlj 9h-18h30*. Ce riad transformé en

espace culturel et café littéraire est une adresse à ne pas manquer. Il propose de légères collations (salades ou brochettes) pour les petites faims. Vous pourrez aussi savourer thé et douceurs dans le superbe patio, où sont organisées les expositions, tout en feuilletant les ouvrages laissés à la consultation.

⑪ **Terrasse des Épices** – F3 sur plan général - *15 souk Cherifia, Sidi Albdelaziz - 𝒫 05 24 37 59 04 ou 06 76 04 67 67*. Petit frère du Café des épices *(voir plus haut)*, il est situé plus profondément au cœur des souks, sur une belle terrasse dominant la médina. On s'assoit en plein air ou dans de petites alcôves très design, pour une boisson ou l'un des plats proposés à la carte.

➜ DÎNER

MOINS DE 50 DH (4,50 € ENV.)

Place Jemâa el-Fna – F3 sur plan général - *tlj entre le crépuscule et minuit environ*. Dînez-y au moins une fois pendant votre séjour. Plus que pour la qualité de la nourriture, c'est pour l'ambiance qu'il faut absolument y venir. Au choix, selon les étals : salades et brochettes, poisson (30 DH-2,70 € env. l'assiette au stand 14), harira (la soupe traditionnelle), escargots, calamars, pastillas ainsi que quelques curiosités (rate de mouton farcie au stand 29 pour 15 DH-1,35 € env. l'assiette). Sans parler des oranges pressées, du thé à la menthe, des pâtisseries… C'est l'occasion de partager un moment avec des Marrakchis.

DE 100 À 200 DH (9 À 18 € ENV.)

⑭ **Dar Mima** – F4 sur plan général - *9 derb Zaouïa el-Kadiria, r. Riad Zitoun*

Un vendeur de fruits secs sur la place Jemaâ el-Fna.

38

el-Jdid - *05 24 38 52 52* - http://
darmima.ifrance.com - ♥ ₢₢ - dîner
uniquement - fermé le merc. - réserv.
indispensable. Attablé dans le patio, un
salon marocain avec cheminée ou une
salle plus classique, vous dégusterez
une cuisine marocaine traditionnelle
de qualité. La pastilla au pigeon est
savoureuse. Service, essentiellement
féminin, particulièrement soigné. Un
excellent rapport qualité-prix.

⑬ **Bab Firdaus** – F4 sur plan général -
57-58 r. Bahia - *05 24 38 00 73* - www.
babfirdaus.com - ♥ ₢₢ -dîner
uniquement - fermé lun. - réserv. conseillée.
Cette ancienne demeure abrite un
restaurant de charme à l'ambiance
feutrée. Dans la salle, les petits salons ou
sur la terrasse, les tables sont dressées
avec une élégance qui sied bien au cadre.
À la carte, grillades berbères et cuisine
aux accents méditerranéens.

DE 200 À 300 DH (18 À 27 € ENV.)

✗⑱ **Le Foundouk** – F3 sur plan général -
55 souk Hal Fassi, Kaat Ben Nahïd, près du
musée de Marrakech - *05 24 37 81 90* -
www.foundouk.com - ♥ ₢₢ - midi et
soir - fermé lun. - réserv. conseillée. L'un
des restaurants tendance de Marrakech,
installé dans un ancien caravansérail.
Le décor, stylé et raffiné, l'intimité
des salons, mais aussi la douceur de
l'éclairage et des sons électro-lounge
créent une ambiance cosy. Plats légers le
midi, bonne cuisine méditerranéenne et
marocaine le soir (le tajine de lotte aux
citrons confits ou la pastilla au chocolat
chaud sont un régal !) et belle carte des
vins. Service attentionné de qualité.
Superbe terrasse surplombant la médina.

⑳ **Le Marrakchi** – F3 sur plan général -
pl. Jemâa el-Fna, 52 r. des Banques -
05 24 44 33 77 - www.lemarrakchi.
co - ♥ ₢₢ - tlj midi et soir. Avec ses
deux salles panoramiques, confortables
et joliment aménagées, ce restaurant
propose l'une des meilleures tables
de la place Jemâa el-Fna. On y dîne ou
déjeune dans une ambiance feutrée,
en observant l'activité frénétique
des passants. Carte ou menus,
essentiellement marocains.

DE 300 À 600 DH (27 À 55 € ENV.)

⑲ **Ksar Es Saoussan** – E3 sur plan
général - 3 derb el-Messaoudyenne, r. el-
Ksour, Mouassine - *05 24 44 06 32* - ♥
₢₢ - dîner uniquement - fermé dim. et
août - réserv. conseillée. Ce restaurant
de charme, l'un des moins chers de
sa catégorie, bénéficie d'un cadre
exceptionnel : imaginez une maison au
cœur de la médina, au décor harmonieux
et verdoyant, où des cantates de Bach
se mêlent au murmure d'une fontaine.
Vous choisirez entre trois menus copieux
(300-550 DH/27-50 € env.) comprenant
respectivement un, deux ou tous les
plats suivants : pastilla de pigeon, tajine
du jour et couscous.

⑰ **Dar Zellij** – E2 sur plan général -
1 Kaa Sour, Sidi ben Slimane - *05 24 38
26 27* - www.darzellij.com - ♥ ₢₢ -
déjeuner sur réserv. uniquement.
Aménagé dans un merveilleux palais
du 17e s., ce restaurant vous convie à
une soirée digne des *Mille et Une Nuits*
au rythme des cithares traditionnelles.
L'apéritif est servi dans le patio d'un
blanc immaculé où s'élèvent quatre
beaux orangers ; puis on s'attable en

terrasse ou sous les plafonds en bois de cèdre des salons pour savourer une bonne cuisine marocaine. Trois menus fixes (350-450 DH/32-41 € env.) avec assortiment de salades, briouates, tajines, couscous et une pastilla au lait croustillante à souhait. Service très soigné. Concerts et danses orientales le samedi soir. Brunch le week-end.

⑮ **Dar Moha** – E3 sur plan général - 81 r. Dar el-Bacha - 𝄞 05 24 38 64 00/62 64 - www.darmoha.ma - 🍷 ▢▢ - fermé lun. - réserv. conseillée. Construite pour le secrétaire du pacha El-Glaoui, puis propriété du styliste Pierre Balmain, cette luxueuse demeure abrite le restaurant de Moha. Dans une ambiance feutrée, ce chef marrakchi formé à Genève vous convie dans un salon chinois, une salle à manger avec cheminée, le salon Balmain, ou mieux encore, autour de la piscine. Vous y dégusterez, sur des airs arabo-andalous ou gnaouis, un menu, hélas fixe, aux belles saveurs, léger le midi (220 DH-20 € env.), mais trop copieux le soir (460 DH-42 € env.).

La Maison Arabe – Plan II, AB2 - 1 derb Assehbe, r. Bab Doukkala - 𝄞 05 24 38 70 10 - www.lamaisonarabe.com - 🍷 ▢▢. Dans le cadre raffiné de cette demeure mythique (voir « Se loger », p. 28), il faut choisir entre les délicieuses spécialités marocaines (inoubliables pastillas aux fruits de mer ou au lait !) et une cuisine exotique, arrosées de très bons vins. Accueil attentionné, musique traditionnelle jouée par un trio à cordes.

PLUS DE 600 DH (55 € ENV.)

⑯ **Dar Yacout** – E2 sur plan général - 79 Sidi Ahmed Soussi, Bab Yacout, près du parking des grands taxis de la gare routière - 𝄞 05 24 38 29 29 - 🍷 ▢▢ - fermé lun. - réserv. recommandée. Ce palais du 17e s. a été transformé par l'architecte américain Bill Willis. On est tout d'abord convié à un apéritif sous les étoiles, au son lancinant du guembri, puis on dîne dans un des sompteux salons qui encadrent la piscine illuminée. La qualité de sa cuisine marocaine ne se dément pas au fil des années, mais il faut débourser environ 700 DH (63 € env.) par personne (carte ou menus) pour profiter de ce cadre merveilleux !

Guéliz

41

→DÉJEUNER

MOINS DE 50 DH (4,50 € ENV.)

⑥ **L'Escale** – B2 sur plan général - r. Mauritania - 𝄞 05 24 43 34 47 - 🍷 - fermé j. fériés. Une adresse populaire toute simple, qui ne désemplit pas depuis 1947. Quelques tables en terrasse, une salle de bistro et, dans l'assiette, de savoureuses grillades accompagnées d'une délicieuse sauce tomate et de frites croustillantes.

DE 80 À 200 DH (7 À 18 € ENV.)

⑧ **Kechmara** – B2 sur plan général - 3 r. de la Liberté - 𝄞 05 24 42 25 32 - ✕ 🍷 ▢▢ - 7h-22h30, bar jusqu'à 0h - fermé dim. Une déco épurée, inspirée des années 1970, que rehaussent quelques toiles contemporaines. Cuisine méditerranéenne soignée et

avantageux menu du jour (150 DH-14 €
env.), composé en fonction du marché.
Bon rapport qualité-prix et agréable
terrasse.

⑦ **Kanzamane Chez Pascal** – B2
sur plan général - 96 r. Mohamed
el-Baqal - 📞 05 24 44 74 15 - 🍴 🍷 cc
📧 - fermé dim. Agréable restaurant
aux allures de bistro. La cuisine du
dynamique Pascal comprend des plats
d'inspiration française aux accents
marocains plus ou moins prononcés,
servis avec une élégance certaine.
La formule de midi (80 DH-7 € env.)
permet de se faire plaisir sans entamer
son budget. Celle du soir est tout
aussi abordable (125 DH-11 € env.).
Couscous le vendredi. Bon choix de
vins.

➔ DÎNER

DE 100 À 200 DH (9 À 18 € ENV.)

⑫ **Al Fassia** – B2 sur plan général -
55 bd Mohammed Zerktouni -
📞 05 24 43 40 60/ 05 24 43 79 73 - 🍷
cc - tlj midi et soir. Sans doute l'une
des meilleures adresses de Marrakech !
Cet excellent restaurant marocain,
renommé pour ses spécialités de Fès,
se distingue par le raffinement de
ses plats (pastilla aux fruits de mer,
feuilleté de poulet en sauce), à des
prix raisonnables. Ne manquez pas la
pastilla maison ! Le cadre est soigné et
le service, assuré par des femmes, tout
à fait remarquable.

DE 200 À 300 DH (18 À 27 € ENV.)

㉑ **La Trattoria** – B2 sur plan
général - 179 r. Mohammed el-
Bequal - 📞 05 24 43 26 41 - www.
latrattoriamarrakech.com - 🍷

cc - dîner uniquement - fermé
dim., sf en haute saison. Dans un
décor chaleureux mêlant influences
hispano-mauresques et Art déco,
salle et salon, piscine et jardin créent
autant d'atmosphères différentes.
On en oublierait presque la carte, qui
propose tous les grands classiques
italiens. Pas donné, mais savoureux !

Essaouira

➔ DÉJEUNER

MOINS DE 50 DH (4,50 € ENV.)

⑦ Les **gargotes** en plein air **(Plan p. 91)**
alignées entre la place Moulay Hassan
et le port, sont très bon marché et
le poisson ne saurait être plus frais
puisqu'il sort des barques de pêche.
Ambiance très conviviale. Attention à la
note, les prix officiels sont affichés sur un
panneau juste en face (env. 25 DH-2,30 €
env. les 250 g).

⑧ **Mareblù** – Plan p. 91 - 2 r. Sidi Ali ben
Abdellah - 📞 06 67 64 64 38 - 12h-15h,
19h-22h - fermé dim. Une petite gargote
toute simple pour manger, selon la
carte du jour, une soupe, une salade,
des pâtes, ou autre plat à dominante
italienne. Très bon marché et sain.

③ **Café Berbère**, **chez Mohammed** –
Plan p. 91 - 11 r. Tanger (pas
d'enseigne) - 📞 05 24 47 58 33. Une
adresse simple et conviviale pour
déguster des plats traditionnels
berbères. Mohammed et quelques
femmes cuisinent sur commande
(passez la veille ou quelques heures
avant le repas). Fraîcheur et saveur
garanties. Vous pouvez aussi acheter
des crevettes ou du poisson au souk

Les tajines sont copieux et parfumés.

voisin et demander qu'on vous les mitonne. On entre par la cuisine et l'on s'attable dans l'une des salles du 1er ou du 2e étage ; il est possible d'emporter ou de se faire livrer.

DE 50 À 100 DH (4,50 À 9 € ENV.)

⑤ **Chez Françoise** – Plan p. 91 - *1 r. Houmane el-Fatouaki (perpendiculaire à l'av. Mohammed ben Abdallah) - ☎ 06 68 16 40 87 - fermé dim.* Formule bon marché comprenant des salades variées ou une soupe de légumes, une tarte salée, une tarte sucrée ou un gâteau. Tout est fait maison, préparé chaque jour à l'aube. Vous pouvez choisir une table dans la ruelle ou vous installer dans la petite salle bleu outremer et jaune. Le restaurant est parfois fermé le soir lorsque tout a été dévoré dans la journée.

① **Les Alizés Mogador** – Plan p. 91 - *26 r. de la Skala (à côté de l'hôtel Smara) - ☎ 05 24 47 68 19 - fermé quelques jours en nov.* Dans une jolie petite salle à trois arcs outrepassés, un gentil couple marocain vous propose une délicieuse cuisine familiale. Pastilla aux fruits de mer sur commande. Une bonne adresse à prix doux (menu à 95 DH-8,60 € env.).

② **Beldy** – Plan p. 91 - *6 r. Ibn Toumerte - ☎ 05 24 47 67 12.* Dans un joli décor rustique, mais néanmoins cosy, de bois, pierre et brique, ce restaurant de cuisine traditionnelle n'offre pas moins de 18 recettes différentes de tajines. Les portions sont assez modestes, mais vraiment savoureuses. Les deux menus (85 et 100 DH-7,70 et 9 € env.) combleront sans problème tous les goûts et tous les appétits.

⑨ **Océan Vagabond** – Plan p. 90 - *bd Mohammed V, sur la plage - ☎ 05 24 78 39 34 ou 06 61 34 71 02 - www. oceanvagabond.com - tlj 9h-19h.* Une bicoque en bois conviviale et bien située, sur la plage, face à l'île de Mogador. Pour prendre un petit-déjeuner, grignoter ou boire un cocktail de fruits frais. Sandwichs, salades, pizzas, omelettes et plat du jour (50 DH-4,50 € env.). Soirée « *live music* » à partir de 18h.

DE 100 À 200 DH (9 À 18 € ENV.)

⑥ **Chez Sam** – Plan p. 90 - *au fond du port de pêche, au bout de la jetée intérieure - ☎ 05 24 47 62 38 ou 06 61 15 74 85 -* 🍷 [cc]. Si le bâtiment est assez laid, à l'intérieur, l'ambiance est plus intime et chaleureuse : vieilles photos, tableaux et objets anciens. Ce restaurant est recommandé pour un déjeuner en terrasse, face aux îles, ou un dîner aux chandelles. Cuisines marocaine et française mettant à l'honneur poissons et fruits de mer. Menus de 85 à 250 DH (7,70 à 23 € env.).

④ **Le Chalet de la Plage** – Plan p. 90 - *1 bd Mohammed V (sur la plage, à la sortie de la médina) - ☎ 05 24 47 64 19 -* 🍷 [cc]. Fondé en 1893, ce restaurant est une institution d'Essaouira. À midi, la terrasse, couverte d'une tonnelle, est une merveille : la vue s'étend sur des kilomètres de plage et, à marée haute, les vagues viennent mourir à vos pieds. Le soir, la salle intérieure, décorée dans le style « marine », offre un refuge chaleureux. Tout cela attire beaucoup de monde, parfois même des groupes : réservez.

➔DÎNER

DE 100 À 150 DH (9 À 14 € ENV.)

⑪ **Ferdaouss (chez Souad)** – **Plan p. 91** - *27 r. Abdessiam Lebadi (ruelle perpendiculaire à l'av. Mohammed ben Abdallah) - ℘ 05 24 47 36 55 - CC - réservez pour le dîner.* Au 1er étage, une jolie salle aux tons jaune et bleu vous attend et, de part et d'autre, un salon marocain. Ambiance intime et dîner aux chandelles. Très bonne cuisine locale concoctée par Souad, la patronne. Carte ou formule (100 DH-9 € env.).

⑮ **Silvestro** – **Plan p. 91** - *70 r. Laâlouj - ℘ 05 24 47 35 55 - ☐ CC.* Ce restaurant italien est peut-être l'une des meilleures adresses d'Essaouira. Si le cadre demeure somme toute banal, le bonheur est incontestablement dans l'assiette. On trouve à la carte les incontournables de la cuisine italienne : antipasti, pizzas et pâtes fraîches (délicieuses accompagnées de crevettes au safran !). Pour couronner le tout, un service discret et attentionné, et des prix qui demeurent très raisonnables.

DE 150 À 200 DH (14 À 18 € ENV.)

⑬ **Le Patio** – **Plan p. 91** - *28 bis r. Moulay Rachid - ℘ 05 24 47 41 66 - ☐ CC - tlj sf lun. 17h30-23h.* Dans le patio de ce joli riad, tout de rouge paré, vous dégusterez de délicieuses tapas et des spécialités de la mer, la carte variant au gré de la pêche du jour. Accueil charmant.

⑫ **La Licorne** – **Plan p. 91** - *26 r. de la Skala - ℘ 05 24 47 36 26 ou 06 61 74 72 88 - ☐ CC - uniquement le soir ; fermé lun., ainsi que certains jours pendant le ramadan.* Une atmosphère intime règne dans cette jolie salle à arcades avec pierres apparentes et bois brut. On apprécie les pastillas, les tajines, le couscous et les plats de poisson (soupe, brochettes de lotte aux épices), servis dans une belle vaisselle de Safi. Service distingué.

⑩ **L'After 5** – **Plan p. 91** - *7 r. Youssef el-Fassi - ℘ 05 24 47 33 49 - ☐ CC.* Installé sous les arches en pierre d'une salle aux volumes généreux, égayé par un mobilier design coloré, ce restaurant-*lounge* offre un cadre chaleureux à l'ambiance tamisée pour une soirée détendue. Le succès de l'établissement tient à sa cuisine française revisitée, originale. Pas de carte, mais des suggestions du jour en fonction du marché. Brunch le dimanche et excellent menu très abordable à midi.

DE 300 À 400 DH (27 À 36 € ENV.)

⑭ **Riad Bleu Mogador** – **Plan p. 91** - *23 r. Bouchentouf (accès par la r. Mohammed el-Qory) - ℘ 05 24 47 40 10 ou 024 78 41 28 - www.riadbleu. com - ☐ CC - uniquement sur réservation.* Un joli riad aménagé avec un grand sens esthétique par sa propriétaire, Christine Bertholet. Trois salons intimes (marocain, terroir et Brel) à la décoration raffinée se répartissent autour du patio. La carte et le menu (350 DH-32 € env., 250 DH-23 € env. sans boisson) changent selon les saisons, mais privilégient toujours une cuisine inventive où produits de la mer et plats marocains sont à l'honneur. Service très distingué, mais la note demeure toutefois un peu élevée.

45

Prendre un verre

À Marrakech, vous trouverez de très nombreux cafés autour de la **place Jemâa el-Fna**. Beaucoup d'endroits très sympathiques existent aussi dans le **Guéliz**, le long de l'avenue **Mohammed V** notamment.
À Essaouira, la **place Moulay Hassan** est presque entièrement occupée par les terrasses des cafés, fréquentées à toute heure par les touristes comme les Souiris.

Médina

Café de France – F3 sur plan général. Pour observer l'animation de la place Jemâa el-Fna, choisissez votre place en terrasse en fonction de la position du soleil.

Café Arabe – F3 sur plan général - *184 r. Mouassine -* 𝄞 *05 24 42 97 28 -* *www.cafearabe.com -* 🍽 ▯ cc *- tlj 10h-0h.* Une halte reposante au beau milieu des souks. Préférez le café-salon de thé au restaurant, aménagé dans le patio et les différents salons de la maison. Le propriétaire étant italien, vous trouverez là du bon café.

Kosybar – F4 sur plan général - *47 pl. des Ferblantiers -* 𝄞 *05 24 38 03 24 -* 🍽 ▯ cc. L'une des rares adresses de la médina. Ambiance ethnique chic à deux pas des palais, dans un ancien riad de la mellah. Des petits salons sur deux étages autour du patio et une belle terrasse pour profiter du soleil. Restauration légère pour le déjeuner, cuisine internationale le soir, boissons, cocktails et musique à toute heure…

Guéliz

Le long de l'avenue Mohammed V, les terrasses du **Café des Négociants** (angle du boulevard Zerktouni) et du **Solaris** (angle de la rue Mauritania), B2 sur plan général, sont envahies à toute heure par les Marrakchis, qui passent le temps en observant le ballet des passants… et des voitures !

Café du Livre – B2 sur plan général - *44 r. Tarik ibn Ziad -* 𝄞 *05 24 43 21 49 -* *www.cafedulivre.com -* 🍽 cc *- tlj sf dim. 8h-24h.* Loin de l'agitation de la ville, ce café clair au style épuré invite à prendre son temps. Musique douce, coin cheminée pour les après-midi d'hiver, salon-bibliothèque pour feuilleter la presse ou de beaux livres sur le Maroc. Restauration légère.

Grand Café de la Poste – B2 sur plan général - *av. Mohammed V, derrière la poste centrale -* 𝄞 *05 24 43 30 38 - www.grandcafedelaposte.com -* 🍽 ▯ cc *- tlj 8h-1h.* Après une quinzaine d'années de fermeture, cette célèbre brasserie chic des années 1930 a bénéficié d'une rénovation qui lui a rendu son élégance d'antan. Le restaurant, tendance nouvelle cuisine, est assez cher et ne comblera que de petites faims, mais vous apprécierez de prendre un verre sur la terrasse dans l'après-midi ou, mieux encore, à l'heure de l'apéritif (belle carte de vins et cocktails).

Montecristo Café – B2 sur plan général - *20 r. Ibn Aïcha -* 𝄞 *05 24 43 90 31 -* 🍽 ▯ cc *- tlj jusqu'à 2h du*

46

matin. Il y en a pour tous les goûts, dans ce lieu branché. Restaurant ou bar à tapas, mais aussi rythmes endiablés ou paisible terrasse où il fait bon prendre un verre.

Essaouira

Le Taros – Plan p. 91 - *2 r. de la Skala (à l'angle de la place Moulay Hassan) - ☏ 05 24 47 64 07 - www.taroscafe. com -* ✕ ▼ *- tlj sf dim. 11h-16h, 18h-23h.* Dans le cadre agréable d'une maison ancienne, le Taros est une institution d'Essaouira où vous vous nourrirez l'esprit autant que le corps. Une galerie accueille des expositions temporaires d'artistes locaux. Plusieurs bibliothèques sont à votre disposition, et vous pouvez bouquiner au soleil sur la superbe terrasse panoramique en buvant un verre ou en déjeunant (le restaurant est toutefois un peu cher !). Concerts vendredi et samedi en soirée dans la salle de restaurant.

La Triskalla – Plan p. 91 - *58 bis r. Touahen - ☏ 05 24 47 63 71 - www. latriskalla.skyblog.com -* ✕ *- tlj 9h-24h - fermé janv.* Dans une belle salle aux multiples arcades et aux recoins douillets, ce bar-restaurant affiche une ambition culturelle dynamique : projections, expositions, rencontres… S'il fait bon y prendre un verre ou une pâtisserie, on évitera toutefois les crêpes, pas très au point.

Côté Plage – Plan p. 90 - *bar de l'hôtel Sofitel Mogador - bd Mohammed V - ☏ 05 24 47 90 00 -* ✕ ▼ 🆑. Idéalement situé sur la plage, face au port, ce lieu est très agréable pour prendre un apéritif accompagné de tapas en fin de journée.

Sortir

Marrakech compte de nombreux **bars musicaux**, fréquentés autant par les jeunes Marocains que par les expatriés ou les touristes. Un grand nombre de **bars-restaurants « lounge »** ont également fleuri dans la ville, attirant une clientèle marocaine jeune et branchée et de nombreux expatriés. La cuisine (internationale) y est généralement correcte, mais les prix, souvent surévalués. Venez plutôt y prendre un verre, à l'heure de l'apéritif ou en fin de soirée.

Les **clubs**, très fréquentés le week-end, se trouvent souvent **au sein des hôtels**, notamment sur l'avenue Mohammed VI, dans la **ville nouvelle**.
Deux **casinos** sont installés dans la ville et de nombreux **cinémas** affichent une programmation internationale : grands succès de Hollywood ou de Bollywood, films français ou arabes…
Essaouira, en revanche, n'est pas l'endroit rêvé des noctambules. Cette cité tranquille et familiale n'offre pas un vaste choix pour les touristes en mal de clubs et de bars où prendre un verre.

Médina

CINÉMA

Cinéma Mabrouka – **F4 sur plan général** - 77 r. Bab Agnaou - ℘ 05 24 44 33 03 - 2 salles - 15-25 DH (1,35-2,30 € env.).
Éden Cinéma – **F3 sur plan général** - r. des Banques - ℘ 05 24 44 26 21 - 2 salles - 15-25 DH (1,35-2,30 € env.).

CASINO

Casino de La Mamounia – **D4 sur plan général** - hôtel La Mamounia - av. Bab el-Jdid - ℘ 05 24 44 45 70 - machines à sous à partir de 18h, autres jeux à partir de 19h. Tenue élégante conseillée.

Guéliz

BARS/PUBS

Afric'n Chic – **C3 sur plan général** - 6 r. Oum Errabia - ℘ 05 24 43 14 24 - ✕ ♈ cc - fermé dim. Un lieu sympathique pour prendre un verre ou grignoter quelques tapas dans un cadre afro-marocain, autour d'un groupe de musique du monde (concerts jeudi, vendredi et samedi soir). Ambiance garantie. « Happy hour » de 18h à 20h.

THÉÂTRE

Théâtre Royal – **B3 sur plan général** - av. Mohammed VI, à l'angle de l'avenue Hassan II - ℘ 05 24 43 15 16 - ghaouat@hotmail.com. Spectacles vivants, expositions, journées culturelles thématiques.

CINÉMA

Cinéma Le Colisée – **B2 sur plan général** - bd Zerktouni (à l'angle de la rue Mohammed el-Bequal) - ℘ 05 24 44 88 93 - 3 salles - 3 séances - 25-35 DH (2,30-3,20 € env.).

Hivernage

BARS/PUBS

Le Comptoir Darna – **C4 sur plan général** - av. Echouada - ℘ 05 24 43 77 02/10 - www.comptoirdarna.com - ✕ ♈ cc - tlj 16h-2h. Un des lieux les plus branchés de Marrakech, joliment décoré avec un tedlakt couleur prune. Agréable patio.

CLUBS

Pacha Marrakech – **B3 sur plan général** - av. Mohammed VI, zone hôtelière de l'Agdal - ℘ 05 24 38 84 00/89 - www.pachamarrakech.com - tlj à partir de 19h30 - entrée gratuite dim.-mar. (filles) et merc. ; 150 DH (14 € env.) mar. (garçons) et jeu.-sam. Bar, restaurants, piscine. Le petit frère du club Pacha d'Ibiza avec la même identité musicale autour des sons électro, progressive, deep house… Le rendez-vous incontournable de la nuit à Marrakech.
Le Théâtro – **C4 sur plan général** - av. el-Quadissia (à côté du casino et de l'hôtel Es-Saadi) - ℘ 05 24 44 88 11 - www.theatromarrakech.com - tlj à partir de 23h - entrée : 150 DH (14 € env.). Ambiance festive dans une ancienne salle de music-hall transformée en boîte branchée.
Le Paradise – **B3 sur plan général** - hôtel Mansour Eddahbi, av. Mohammed VI - ℘ 05 24 33 91 00 - tlj 22h30-5h - 150-200 DH (14-18 € env.). Point de rencontre de la jeunesse dorée marrakchie et de nombreux expatriés. Une des boîtes les plus fréquentées. Évitez les baskets.

Le service du thé.

CASINO

Casino de Marrakech – **C4 sur plan général** - *hôtel Es-Saadi, av. el-Quadissia -* 📞 *05 24 44 88 11 - www. casinodemarrakech.com.* Machines à sous de 14h à 4h, tables de jeux à partir de 20h.

SPECTACLES

Al Ménara – **A5 sur plan général** - *jardin de la Ménara -* 📞 *05 24 43 95 80 - merc.-sam. à 19h (déc.-mars) ou 22h (avr.-nov.). 250-400 DH (23-36 € env. ; -12 ans gratuit) - réserv. dans de nombreuses agences.* Ce spectacle son et lumière (65mn), donné à la nuit tombée sur le bassin de la Ménara, retrace l'histoire de Marrakech en 12 tableaux, rassemblant une cinquantaine d'artistes (danseurs, comédiens, acrobates et cavaliers).

Aux alentours

BARS/PUBS

Bô-Zin – **Hors plan** - *rte de l'Ourika, à 3,5 km de Marrakech -* 📞 *05 24 38 80 12/13 - www.bo-zin.com -* 🍴 🍷 [CC] *- tlj à partir de 20h - navette gratuite à disposition (réservez pour qu'on vienne vous chercher).* Un lieu très à la mode dans l'univers des soirées marrakchies, une adresse « chic décontractée » où boire un verre accompagné de quelques tapas. La sobriété et l'élégance du décor distillent une ambiance douce… avant que le DJ n'officie aux platines !

Se détendre

Pour vous détendre, n'hésitez pas à aller au hammam « du quartier ». C'est en général très bon marché, propre et animé, et c'est là que vous vivrez l'expérience la plus authentique. À **Marrakech** comme à **Essaouira**, les hammams sont regroupés dans la **médina**.

Médina

HAMMAMS

Hammam Dar el-Bacha – **E3 sur plan général** - *20 r. Fatima Zohra - tlj 12h-19h30 (femmes) - 5h-12h, 19h30-23h (hommes) - hammam (10 DH-0,90 € env.) - gommage (50 DH-4,50 € env.).*
Hammam Ziani – **F4 sur plan général** - *14 r. Riad Zitoun el-Jdid (près du palais de la Bahia) -* 📞 *06 62 71 55 71 - www. hammamziani.ma - tlj 8h-22h30 (femmes et hommes).* Un beau hammam au cœur de la médina, mais essayez d'y aller aux heures creuses pour éviter que le service ne soit expéditif. Hammam (35 DH-3,20 € env.), gommage (20 DH-1,80 € env.), massage (100 DH-9 € env.), formules complètes (250 et 300 DH-23 et 27 € env.).
Les Couleurs de l'Orient – **F4 sur plan général** - *22 derb Lakhdar, r. Riad Zitoun el-Kédim -* 📞 *05 24 42 65 13 ou 06 75 47 41 35 - sur réserv.* Diverses formules, avec hammam seul (50 DH-4,50 € env.) + gommage (90 DH-8,20 € env.) + masque corporel (120 DH-11 € env.) + massage (230 DH-21 € env.). Soins esthétiques et salon de coiffure.

Hammam Mille et Une Nuits – **F3 sur plan général** - *58 derb Dabachi (près de la place Jemâa el-Fna)* - ℘ *05 24 44 30 79* - *www.spa-hammam1001nuits. com* - *tlj 9h-21h, sur réserv.* Plus luxueux que les précédents. Hammam-gommage (150 DH-14 € env.), massages à l'huile d'argan (350-550 DH/32-50 € env.), mais aussi soins esthétiques et salon de coiffure.

Les Bains de Marrakech – **E4 sur plan général** - *2 derb Sedra, Bab Agnaou* - ℘ *05 24 38 14 28* - *www. lesbainsdemarrakech.com.* Ce superbe établissement au luxe raffiné propose, en plus du hammam avec gommage traditionnel (150 DH-14 € env.), des bains orientaux (200 DH-18 € env.) et un très large choix de massages (200-450 DH/18-41 € env.), de soins du visage et du corps.

COURS DE CUISINE

La Maison Arabe – **E3 sur plan général** - *(voir « Se loger », p. 28).* Elle propose des cours réputés, dirigés par une excellente cuisinière marocaine. Ateliers d'une demi-journée par petits groupes (8 pers. maxi), puis dégustation des mets élaborés (entrée + plat ou plat + dessert). 1 600 DH (145 € env.) pour une séance d'une ou deux personnes, 600 DH (55 € env.)par personne pour un groupe de trois à cinq personnes, 500 DH (45 € env.)/ pers. pour cinq à huit personnes.

Guéliz

HAMMAM

Hammam Hilton – **A2 sur plan général** - *230 rte de Targa* - ℘ *05 24 49*

31 29 - *tlj 6h-22h.* Une belle adresse, recommandée par les Marocaines elles-mêmes, mais éloignée de la ville. Il faut être véhiculé. Accès aux bains (30 DH-2,70 € env.), gommage (30 DH-2,70 € env.), massage (70 DH-6,40 € env.). Le service est parfois un peu expéditif.

Palmeraie

ÉQUITATION

Centre équestre de la Palmeraie – **Hors plan** - *les jardins de la Palmeraie, circuit de la Palmeraie* - ℘ *05 24 30 10 10* - *www.pgpmarrakech.com.* Balade à cheval dans la palmeraie. 170 DH (15 € env.)par heure, 300 DH (27 € env.) pour deux heures, 450 DH (41 € env.) pour trois heures et 600 DH (55 € env.) l'excursion d'une journée avec déjeuner chez l'habitant.

Aux alentours

COURS DE TEDLAKT

Couleurs d'Ailleurs – **Hors plan** - *rte d'Amizmiz km 6* - ℘ *06 61 06 73 74 ou 06 62 84 51 66* - *couleursdailleurs@ hotmail.com* - *le trajet AR est assuré* - *séance d'une demi-journée (9h-12h ou 14h30-17h30).* 500 DH (45 € env.)/pers. Cours d'initiation à ce savoir-faire ancestral : préparation de la chaux et des couleurs à base de pigments naturels, puis réalisation d'un modèle de décoration.

PARC AQUATIQUE

Oasiria – **Hors plan** - *rte d'Amizmiz km 4, Cherifia* - ℘ *05 24 38 04 38* - *www. oasiria.com* - *navette gratuite pour le*

centre-ville - tlj 10h-18h. *130 DH (12 €
env.) la demi-journée, 170 DH (15 €
env.) la journée, tarif réduit pour les enf.
de moins de 1,50 m.* Grande piscine
à vagues, cinq toboggans, rivière
tranquille que l'on parcourt sur une
bouée, jeux aquatiques.

Essaouira

HAMMAMS

Hammam Lalla Mira – Plan p. 90 -
*14 r. d'Algérie (attenant à l'hôtel du
même nom) - ℘ 05 24 47 50 46 - www.
lallamira.ma. Femmes tlj 9h30-19h,
hommes tlj 19h-22h.* Depuis leur
restauration, les plus vieux bains
publics d'Essaouira sont aussi les
premiers du Maroc à utiliser l'énergie
solaire. Beaux, propres et écolo.
*Hammam traditionnel (1h30 ; 25 DH-
2,30 € env.), gommage (75 DH-6,80 €
env.), enveloppement (75 DH-6,80 €
env.) et massage (75 DH-6,80 € env.).*
Hammam Mounia – Plan p. 91 -
*r. Oum-Errabii - ℘ 05 24 78 42 47
ou 06 67 23 65 05 - www.moroccan-
link.com - tlj 12h30-21h30.* Ancien
hammam restauré, d'une propreté
irréprochable, proposant une large
gamme de soins. Plusieurs forfaits :
hammam + gommage (65 DH-

6 € env.) + modelage (100 DH-9 €
env.) + massage (150 DH-14 € env.)
+ enveloppement au ghassoul
(220 DH-20 € env.).
Sofitel Thalassa Mogador – Plan
p. 90 - *bd Mohammed V - ℘ 05 24 47
90 00 - www.accorthalassa.com -* [CC] -
*tlj 9h-12h30, 14h30-19h (vend.-dim.
20h).* L'institut de thalassothérapie
du Sofitel Mogador propose un large
choix de soins à la carte : *hammam
(160 DH-14,50 € env.), beauté
marocaine, remise en forme (4 soins
pour 950 DH-86 € env.), esthétique…*

PLAGE

Elle est immense, car l'estran forme
une pente très douce. Notez qu'elle est
très ventée et qu'il n'y fait jamais très
chaud.

PROMENADE EN MER

Ciel et Mer – Plan p. 90 - *sur le
port (près du restaurant Chez Sam) -
℘ 05 24 47 46 18 ou 061 58 19 09 - tlj
9h-13h, 14h30-19h - départs fréquents
de 10h au coucher du soleil.* Excursion
(1h - 80 DH-7 € env.) autour des
îles voisines à bord du *Ciel-et-Mer*
(70 pers.) ou de la barque *Nathie*
(5 pers.). Possibilité de pêche en mer sur
réservation *(demi-journée : 200 DH-18 €
env.).*

Shopping

À **Marrakech**, on trouve dans les **souks** tous les produits de l'artisanat marocain *(voir p. 112)*. La qualité varie d'une échoppe à l'autre. Thé et marchandage font partie du rituel d'achat.

La **médina** d'Essaouira est aujourd'hui envahie par les boutiques. Vous serez ici moins harcelés par les rabatteurs ou les bazaristes qu'à Marrakech. Outre les bonnets et les vestes en laine tricotés sur place, vous trouverez une grande variété de beaux objets provenant de toutes les régions du Maroc. Il est, bien sûr, impensable de quitter Essaouira sans acheter des objets en bois de thuya ; Les artisans ébénistes sont principalement regroupés **rue de la Skala**, côté bastion nord.

À Marrakech tout comme à Essaouira, vous trouverez de nombreuses **galeries d'art** qui exposent des œuvres d'artistes marocains.

Médina

PÂTISSERIES

Pâtisserie des Princes – F4 sur plan général - *32 r. Bab Agnaou (près de la place)* - ℰ *05 24 44 30 33*. Vaste choix de bonnes pâtisseries orientales (130 à 150 DH-12 à 14 € env./kg) et occidentales, à déguster sur place ou à emporter.

MARCHÉS

Marché aux puces – F2 sur plan général - *Bab el-Khemis*. Les chineurs pousseront jusqu'à ce marché où s'amoncellent aussi bien de beaux meubles marocains que de vieux téléphones. L'art de fabriquer le « faux vieux » y est extraordinaire ! Attention aux pickpockets, nombreux et bien organisés.

TAPIS

Dar el-Kasbah – F4 sur plan général - *41 r. de la Radima, Arset el-Maach* - ℰ *06 61 13 41 94* - CC. Grand choix de tapis anciens et modernes.

ARTISANAT

Ensemble artisanal – D3 sur plan général - *Av Mohammed V - tlj sf dim. apr.-midi 9h-18h*. Ce bâtiment moderne réunit de nombreuses boutiques. On y rencontre boisseliers, passementiers, bijoutiers, menuisiers, fabricants de soufflets, de lanternes, relieurs, maroquiniers, calligraphes et « animaliers sur métaux ». C'est l'occasion d'admirer ces artisans au travail, en toute tranquillité, loin de l'agitation des souks. Les prix fixes sont en général raisonnables.

Boutique Darna (Comptoir Paris-Marrakech) – C4 sur plan général - *Av. Echouada*. Châles et tuniques, faïence et maroquinerie, poufs et lampes : entre « tendance » (mais attention : « tendance multiple » !) et « ethnique », une ligne d'artisanat revisité, furieusement mode.

Artisanat Marocain – D3 sur plan général - *27 av. Mohammed V* - ℰ *05 24 44 80 06 - tlj 9h-19h*. Une boutique spacieuse proposant des objets variés, mais classiques. Prix fixes et raisonnables.

Chez Brahim – F3 sur plan général - *82, Souk Smarine*. Des babouches

53

formant des piles jusqu'au plafond, de toutes couleurs et de tous les tons. Vous trouverez toutes les formes, depuis les traditionnelles aux créations les plus avant-gardistes, pour l'intérieur, la ville ou la campagne.

LIVRES

Librairie Ghazali – F4 sur plan général - *51 r. Bab Agnaou, (sur la place Jemâa el-Fna) -* ℘ *05 24 44 23 43 - tlj sf dim. 9h-12h30, 15h30-21h.* Une petite librairie-papeterie où l'on peut acheter quelques livres en français.

Librairie Dar el-Bacha – E3 sur plan général - *2 r. Dar el-Bacha -* ℘ *05 24 39 19 73 - www.darelbacha.com - tlj 9h-13h, 15h-19h.* Librairie d'art exigeante, mais aussi espace culturel qui organise rencontres et signatures.

Marra-Book Café – F4 sur plan général - *55 derb Kababa, av. des Princes -* ℘ *05 24 37 64 48 - www.marrabook.com - tlj 10h-23h.* Belle collection de livres d'art soigneusement choisis. Cartes et guides.

Fnaque Berbere – F3 sur plan général - *64 Souikat Laksour -* ℘ *05 24 44 34 17.* Une librairie minuscule, au cœur des souks.

Chatr – D3 sur plan général - *19-21 av. Mohammed V -* ℘ *05 24 44 79 97 ou 05 24 44 89 01 - lun.-vend. 8h-13h, 15h-20h, sam. 8h30-13h, 16h-20h.* Un large choix de littératures française et internationale, guides, cartes et beaux livres.

HERBORISTERIE

Herboristerie Malih – G5 sur plan général - *Hay Essalame (à côté du restaurant Douyria), Mellah -* ℘ *05 24 38 74 03 et 06 68 04 87 95.* Vous ne pourrez manquer les hautes pyramides colorées qui illuminent le souk aux épices de la mellah ! Laissez-vous guider par Malih ou Hicham parmi les plantes, pigments, huiles et produits naturels qu'ils se feront un plaisir de vous faire découvrir. Prix très raisonnables.

Herboristerie Moul Ksour – E3 sur plan général - *38 r. el-Ksour -* ℘ *05 24 42 80 70 - tlj 9h-19h.* Les rayons de la boutique sont couverts de bocaux contenant une multitude de plantes, d'épices, d'essences ou de produits naturels, préparés avec sérieux et passion par Youssef.

Dar Si Saïd – F4 sur plan général - *Riad Zitoun el-Jdid (à côté du musée Dar Si Saïd).* Cet herboristerie richement fournie en épices naturelles et huiles essentielles est aménagée dans une somptueuse demeure à la décoration hispano-mauresque.

INSTRUMENTS DE MUSIQUE

Ét. Moulay Mbarek – F3 sur plan général - *104 r. Kennaria -* ℘ *05 24 39 11 17 ou 06 70 02 41 46.* Large choix d'instruments et d'accessoires à prix fixes.

Ét. Sami Fouad – F3 sur plan général - *123/9 r. Kennaria -* ℘ *06 61 85 42 30.* Vente et achat d'instruments de musique et d'accessoires. Prix fixes.

Guéliz

PÂTISSERIES

Al Jawda – B2 sur plan général - *11 r. de la Liberté -* ℘ *05 24 43 38 97 - www. al-jawda.com - tlj 8h-20h30.* La pâtisserie de Mme Halimi est une institution et les Marrakchis eux-mêmes vous diront que ses douceurs marocaines sont les meilleures de la ville ! Comptez 180 DH

Babouches multicolores.

(16 € env.) par kilo. Salon de thé au 84 bd Mohammed V.

Amandine – B2 sur plan général - *177 r. Mohammed el-Bequal -* ☏ *05 24 44 96 12 - tlj 7h-21h*. Pâtisseries marocaines (160 à 180 DH-14 à 16 € env./kg) et françaises raffinées, viennoiseries et glaces. Salon de thé.

ARTISANAT

Côté Sud – B2 sur plan général - *4 r. de la Liberté*. Créations artisanales.

L'Orientaliste – B2 sur plan général - *15 r. de la Liberté*. Antiquités, créations artisanales, parfums.

Scènes de Lin – B2 sur plan général - *70 r. de la Liberté -* ☏ *05 24 43 61 08 - www.ilove-marrakesh.com/scenesdelin*. Étoffes et tentures, tissus d'intérieur, le tout présenté dans un beau show-room.

Intensité Nomade (Frédérique Birkemeyer) – B2 sur plan général - *139 av Mohammed V -* ☏ *05 24 43 13 33*. Caftans, articles de maroquinerie, babouches.

ANTIQUITÉS

Amazonite – B2 sur plan général - *94 bd Mansour Eddahbi -* ☏ *05 24 44 99 26 -* CC *- tlj sf dim. 9h30-13h, 15h30-19h30*. Un des meilleurs antiquaires de la ville. Bijoux en or et en argent, poteries, broderies, tapis, armes, tableaux orientalistes… La propriétaire vous racontera l'histoire de chacun de ses trésors. Prix fixes.

Al Badii – B3 sur plan général - *54 bd Moulay Rachid -* ☏ *05 24 43 16 93 -* CC. Une boutique spacieuse et élégante. Anciennes poteries de Fès, broderies de Rabat et de Fès, portes berbères, plafonds des 18e et 19e s., tableaux orientalistes… Le prix de ces merveilles

vous obligera peut-être à vous contenter du « plaisir des yeux ».

GALERIES D'ART

Passage Ghandouri – B2 sur plan général - *accès par le 61 r. de Yougoslavie*. Une demi-douzaine de galeries d'art sont installées dans ce passage. Parmi elles, les réputées **Matisse Art Gallery** et **Galerie Majorelle**.

Les Atlassides – C3 sur plan général - *22 av. Yacoub el-Marini -* ☏ *05 24 43 79 93 -* CC *- lun.-sam. 9h30-13h, 16h-20h*. Un très bel espace culturel pluriel abritant une galerie d'art contemporain et une librairie d'art.

Marrakech Arts Gallery – B2 sur plan général - *60/5 bd Mansour Eddahbi -* ☏ *05 24 43 93 41 - www.marrakech-arts-gallery.com -* CC *- tlj 9h-13h (vend. 12h), 15h-19h30*. Exposition permanente d'une vingtaine d'artistes marocains.

La Galerie Bleue – B2 sur plan général - *119 bd Mohammed V -* ☏ *06 66 19 21 29 -* CC *- tlj 10h-13h, 16h-20h*. Large sélection de peintures d'artistes marocains, à tous les prix.

MAROQUINERIE

Galerie Birkemeyer – B2 sur plan général - *169 r. Mohammed el-Bequal -* ☏ *05 24 44 69 63 ou 05 24 44 92 97 - www.galerie-birkemeyer.com -* CC *- lun.-sam. 8h30-12h30, 15h-19h30, dim. 9h-12h30*. Divers articles de maroquinerie, vêtements, chaussures et bagagerie de bonne qualité, mais les modèles sont parfois un peu démodés. Prix corrects.

Place Vendôme – B2 sur plan général - *141 av. Mohammed V -* ☏ *05 24 43 52 63 -* CC *- lun.-sam. 9h-12h30, 15h-19h30*. Beaux articles de maroquinerie, de bagagerie et de vêtements en cuir ou daim, mais les prix sont en conséquence !

Sergio Balantcia – **B2 sur plan général** - *104 bd Mansour Eddahbi -* 📞 *05 24 42 32 18 -* 🆑. Prêt-à-porter en cuir pour les femmes et pour les hommes, bagagerie et accessoires.

LIVRES

ACR – **B2 sur plan général** - *55 bd Zerktouni (à côté du restaurant Al Fassia) -* 📞 *05 24 44 67 92 - tlj sf dim. 9h-12h30, 15h-19h.* Librairie d'art. Très beaux ouvrages consacrés au Maroc et au Maghreb.

HERBORISTERIE

La Boutique Naturelle – **C2 sur plan général** - *5 r. Sourya (derrière le marché central)-* 📞 *(en France) 02 98 62 89 75 - www.naturelledargan.com.* Cette boutique récente, spécialisée dans l'huile d'argan, travaille en collaboration avec les femmes berbères du Sud marocain.

Essaouira

PÂTISSERIE

Pâtisserie Chez Driss – **Plan p. 91** - *10 r. El Hajjali -* 📞 *05 24 47 57 93 - tlj à partir de 7h.* LA pâtisserie d'Essaouira, où l'on peut s'attabler à toute heure afin d'apprécier ses viennoiseries, ses gâteaux marocains et européens ou ses pastillas.

ANTIQUITÉS/ARTISANAT

Coopérative artisanale des maîtres marqueteurs – **Plan p. 90** - *6 r. Khalid Ibn Oualid (accès par la place Moulay Hassan et la rue de la Skala).* Une

coopérative où on peut voir les artisans au travail. La boutique attenante regroupe leur production.

Galerie La Kasbah – **Plan p. 91** - *4 r. Tetouan -* 📞 *05 24 47 56 05 ou 06 61 20 71 45 - tlj 9h-21h30.* Installé dans un beau riad du 18e s., ce brocanteur propose un très large choix de poteries anciennes, peintures, tapis et objets divers.

Chez les Hommes Bleus – **Plan p. 90** - *19 r. de la Skala -* 📞 *05 24 47 54 60 - tlj 8h-20h.* Tenue par une famille berbère, la boutique propose des bijoux anciens, de jolis coffres en bois, des miroirs, etc.

Incrustation Derhy – **Plan p. 91** - *13 r. Attarine (à côté du riad Al Madina) -* 📞 *05 24 47 25 53.* Le travail d'Ottmane est remarquable par son style : ses marqueteries en thuya sont d'une grande sobriété, très bien finies, avec des lignes contemporaines (prix fixes).

Lahri Mohammed Ben Lhoussane – **Plan p. 91** - *181 Souk El Ghazel.* Il faut absolument jeter un œil sur cet invraisemblable atelier de tissage, tellement minuscule que le vieil homme qui y travaille a dû installer ses métiers sur une sorte de mezzanine. Les coloris sont somptueux... et vous pourrez admirer les tissus en toute tranquillité.

Chez El Hossin et Aziz – **Plan p. 91** - *À gauche en entrant dans le centre artisanal.* La présence d'un métier à tisser traditionnel et la gentillesse de l'accueil font de cette boutique l'endroit idéal pour mieux comprendre et apprendre à repérer à l'œil nu les différentes qualités de tissage.

Thamarah Fatima – **Plan p. 91** - *15 bd Alal Ben Abdellah.* Dans cette minuscule boutique de mode traditionnelle marocaine, située en face de la Pharmacie de la Kasbah, vous trouverez de superbes babouches tressées.

OBJETS EN RAFIA

Essaouira Medina – Plan p. 91 - *r. Ibn Rochd (en face d'Arga d'Or)*. Beaux modèles de chaussures en rafia ou rafia et cuir.

Karima Abali – Plan p. 91 - *74 av. Mohammed ben Abdallah* - ✆ *06 62 40 61 45*. De nombreux articles en rafia, cuir ou soie.

Rafia Craft – Plan p. 91 - *82 r. d'Agadir (côté Bab Marrakech)* - ✆ *05 24 78 36 32 - rafiacraft@menara.ma - lun.-sam. 10h-13h, 15h-19h*. De jolis babouches, mules et mocassins, un peu plus chers, mais originaux et colorés.

LIVRES

Jack's Kiosk – Plan p. 91 - *1 pl. Moulay Hassan* - ✆ *05 24 47 55 38 - tlj 10h-23h30* - 🆑. Un large éventail de la presse internationale, ainsi que des livres variés sur le Maroc et de belles cartes postales.

Galerie Aïda – Plan p. 90 - *2 r. de la Skala* - ✆ *05 24 47 62 90* - 🆑. Un incroyable bric-à-brac où, à côté de bibelots hétéroclites, les fouineurs dénicheront des ouvrages, anciens ou récents, souvent difficiles à trouver ailleurs.

GALERIES DE PEINTURE

Galerie d'art Frédéric Damgaard – Plan p. 91 - *av. Oqba Ibn Nafia* - ✆ *05 24 78 44 46 ou 06 61 20 71 21 - galerie@frederic-damgaard.ma* - 🆑 *- tlj 9h-13h, 15h-19h - entrée libre*. C'est assurément la plus renommée, sans être forcément la plus chère. Frédéric Damgaard expose et vend les œuvres de peintres locaux

autodidactes et aujourd'hui reconnus *(voir p. 90)*.

Association Tilal – Plan p. 91 - *4 r. du Caire* - ✆ *05 24 47 54 24 - tlj 8h30-12h30, 14h30-19h - entrée libre*. Cette association regroupe une cinquantaine d'artistes souiris qui exposent ici leurs œuvres, proposées à des prix très attractifs.

Galerie Bab S'baâ – Plan p. 91 - *sous le porche de Bab Sebaa* - ✆ *06 68 16 42 17 - tlj 9h-13h, 15h-20h - entrée libre*. Cette petite galerie vaut le détour pour les superbes peintures au henné sur peau de chèvre de Mme Souad Attabi.

HERBORISTERIES

Chez Makki – Plan p. 91 - *n° 221 souk Laghzal* - ✆ *05 24 47 30 90*. Le sympathique Makki propose un large choix d'épices, de plantes, parfums, pigments, produits naturels et huiles d'argan qu'il se fera un plaisir de vous faire découvrir, sentir ou goûter. Il prépare des mélanges « sur mesure ». Prix très raisonnables.

Arga d'Or – Plan p. 91 - *5 r. Ibn Rochd* - ✆ *05 24 78 40 69 ou 06 61 60 14 71 - argadore@hotmail.com*. Une boutique bien fournie où on trouve toute une gamme de produits dérivés de l'huile d'argan : huiles cosmétiques ou culinaires, *amlou*, savons, crèmes.

Azurette – Plan p. 91 - *12 r. Malek ben Mourhal (perpendiculaire à l'avenue de l'Istiqlal)* - ✆ *06 61 92 85 21 - tlj 9h30-20h*. Une jolie boutique à arcades tenue par Rachid et Ahmed. Les rayons sont couverts de bocaux contenant plantes, épices, huiles. Accueil sympathique, mais il faut parfois négocier les prix.

La place Jemâa el-Fna au coucher du soleil.

Visiter Marrakech

61

Marrakech aujourd'hui

Marrakech, la « **perle du Sud** »…
Dès les premiers pas, le voyageur
est étourdi par l'effervescence qui
règne dans cette cité vertigineuse.
Les parfums, les couleurs, la foule,
les fleurs, les verts palmiers, les murs
roses tapissés de bougainvillées, le
feuillage mauve des jacarandas et,
pour qui arrive du nord, l'apparition
de la palmeraie au milieu de la plaine
ardente du Haouz constituent un
étonnant spectacle. Ocre, rose ou
rouge, selon la lumière et l'heure,
Marrakech se déploie entre sa
palmeraie, le désert et les sommets
enneigés du **Haut Atlas**. Derrière les
remparts s'emmêlent les innombrables
ruelles de la médina, où commerçants,
porteurs, mendiants, cyclistes, ânes et
badauds se croisent dans un incessant
va-et-vient. L'immense **place Jemâa
el-Fna** s'anime de toutes parts. Les
marchands ambulants redoublent
d'ingéniosité pour attirer le passant,
les charmeurs de serpents côtoient les
danseurs traditionnels et les acrobates
s'échauffent le long des terrasses de
cafés. Une foule s'attroupe et écoute,
captivée, les récits d'un conteur.
Marrakech, ce sont aussi les palais
richement décorés, les restaurants
gastronomiques, les jardins paisibles et
les nuits trépidantes.
Au sud s'étend la vaste chaîne du Haut
Atlas. En hiver et au printemps, lorsque
étincellent au loin les neiges des
montagnes, la surprise est plus forte
encore.

Deux villes se côtoient à Marrakech :
la **médina**, enchâssée dans ses
remparts, et à l'ouest de celle-ci, la
ville nouvelle, avec les quartiers
du **Guéliz** et de **l'Hivernage**, qui
gagnent tous les jours sur le désert.
La médina a la forme d'un bouchon
de champagne. Au centre se trouve la
place **Jemâa el-Fna**, principal point de
repère au milieu du dédale de ruelles.
On finit toujours par y aboutir. Au sud
de celle-ci se trouvent la Koutoubia,
les tombeaux saâdiens, les palais et les
musées ; au nord, les souks, la place ben
Youssef, les quartiers Sidi ben Slimane
et Sidi bel Abbès. La ville moderne
est quadrillée de larges avenues qui
s'articulent en étoile, et sont reliées
par un réseau de rues plus étroites.
Le quartier du Guéliz est traversé par
l'**avenue Mohammed V**, ponctuée de
trois places – la place de la Liberté, la
place du 16 Novembre et la place Abdel
Moumen ben Ali.
L'architecture de la ville justifie à elle
seule le voyage, mais c'est sûrement
pour ses habitants que vous l'aimerez.
La prédominance berbère, le mélange
d'influences maghrébine, saharienne
et d'Afrique noire font des Marrakchis
une population ouverte, accueillante
et d'une grande joie de vivre. Nœud
d'échanges, **grand centre artisanal
depuis sa fondation** – les souks
sont parmi les plus fascinants du
Maroc –, « Marrakech la saharienne »
ne ressemble à aucune des autres cités
impériales. Dans ses remparts de terre

règne une foire perpétuelle. Sur ses places, dans les galeries couvertes de ses souks, c'est tout au long des jours une cohue bigarrée, dans laquelle se mêle aux citadins une population fluctuante descendue de l'Atlas, ou venue du Sous, de l'Anti-Atlas, du Sahara.

Marrakech vit aujourd'hui surtout du **tourisme**, qui présente de multiples facettes. Là se croisent les routards, qui logent dans les petits hôtels de la médina, les groupes, dans les immenses ensembles plus ou moins luxueux du Guéliz ou de l'Hermitage, et les membres de la jet-set, qui viennent résider quelque temps dans leurs luxueuses demeures de la palmeraie ou occupent de somptueux riads.

« Capitale du Sud », elle offre aux visiteurs, surtout de novembre à mai, l'attrait de ses monuments et le charme de ses immenses jardins, son climat doux et sec et son atmosphère limpide. La proximité du Haut Atlas, dont Marrakech commande les deux grands cols (Tizi-n-Test et Tizi-n-Tichka), en fait une excellente base d'excursions en montagne ; les champs de ski de l'Oukaïmeden ne sont pas très loin. Marrakech est aussi une étape incontournable de la vie nocturne marocaine. Ici plus qu'ailleurs flotte un air de liberté.

Mais, Marrakech, **troisième ville du Maroc** après Casablanca et Rabat, n'en demeure pas moins une énorme agglomération essentiellement rurale où la vie semble conserver parfois un caractère presque médiéval, ce qui n'empêche pas modernité et tradition de cohabiter, et où la terre et les habitations se confondent en une même couleur ocre rouge.

Vous pouvez profiter de votre long week-end à Marrakech pour faire une escapade à **Essaouira**, située à 175 km à l'ouest de la ville impériale sur la côte atlantique. Vous bénéficierez d'un peu de fraîcheur et d'une parenthèse en bord de mer durant votre séjour marocain. Bâtie sur une presqu'île rocheuse, entourée de mimosas et de genêts plantés pour fixer les dunes, Essaouira, l'ancienne **Mogador**, surprend par son isolement. Au voyageur qui vient de Marrakech, elle apparaît soudain en contrebas, tantôt blanche et brillante, avec ses façades passées à la chaux tandis que portes et fenêtres copient le bleu du ciel et qu'un peu partout des araucarias dressent leurs étranges et sombres silhouettes de chandeliers aux multiples branches, ou bien toute de rose vêtue lorsqu'au coucher du soleil, le cerne rigoureux de ses murailles se découpe sur l'horizon. La ville a le cachet des très anciens comptoirs ; elle survit à un passé qui eut quelque prestige, et révèle un petit monde provincial et charmant (si l'on occulte les nouveaux quartiers, sans âme, de la ville nouvelle située à la périphérie). La beauté du site, la qualité de la lumière, la singulière douceur du climat, le pittoresque de la ville et du port – qu'accentue l'ambiance insaisissable qui y règne – font d'Essaouira un lieu « fort », présent sans être oppressant, où tout contribue à ouvrir les sens à la perception poétique et à la rêverie qui ont su toucher la sensibilité de nombreux artistes.

Le sud de la médina★★★

Délimité par l'avenue Mohammed V et la place Jemâa el-Fna, le sud de la médina (classée depuis 1985 sur la liste du patrimoine mondial de l'humanité par l'Unesco) vous ouvre ses portes et dévoile certains des principaux monuments de Marrakech, comme la Koutoubia et son très célèbre minaret , la magnifique porte Bab Agnaou ou encore le palais de la Bahia. Flâner dans cette partie de la médina se révèle très agréable.

➜**Conseil :** Promenez-vous de préférence à pied et n'ayez pas peur de vous perdre dans le dédale des rues…

La Koutoubia★★★

E4 sur plan général. *Au sud-ouest de la place Jemâa el-Fna - visite interdite aux non-musulmans.*

Avec son minaret presque aussi célèbre que la tour Eiffel, la Koutoubia doit son nom (dérivé d'*al-koutoubiyyin* : « libraires ») aux nombreux marchands de manuscrits qui s'étaient autrefois établis autour de la mosquée. Chef-d'œuvre de l'art hispano-mauresque, la belle andalouse est née du caprice d'un homme, le sultan almohade **Abd el-Moumen**, qui avait rasé le palais de l'Almoravide Abou Bakr pour élever sur ses ruines cette mosquée. Achevé par le petit-fils du sultan, Yacoub el-Mansour, le **minaret** de la Koutoubia, haut de 69 m, est surmonté de quatre boules de cuivre, la plus grande ayant 2 m de diamètre. La légende raconte que les quatre boules proviennent des bijoux en or de Zineb, la charmante épouse de Youssef ben Tachfine. Chaque côté de la façade du minaret, qui a servi de modèle à la Giralda de Séville, présente une décoration

différente de motifs floraux et de subtils entrelacs sculptés. Le sommet de la tour, couronné de fins merlons, est parcouru par une frise en zelliges blanc et vert turquoise.

Bab Agnaou★

(Porte du bélier sans cornes)
E5 sur plan général.

Yacoub el-Mansour franchissait cette **porte almohade** pour aller à la kasbah. Le nom surprenant de cette porte a alimenté bon nombre de légendes. Il serait dû à l'existence, dans le passé, de deux tours (les cornes) qui ont disparu.

Mosquée el-Mansour

E5 sur plan général. *Accès par la porte Bab Agnaou.*

On l'appelle aussi « **mosquée de la Kasbah** ». C'est **Yacoub el-Mansour** qui, à la fin du 12e s., fit construire ce sanctuaire pour donner une mosquée à sa kasbah. L'édifice fut en partie détruit en 1574 par une explosion. Des restaurations ont modifié son aspect primitif. Le minaret, d'allure assez

La Koutoubia.

massive, porte un joli décor losangé d'entrelacs et une frise de faïences vertes. Il ne reste que peu d'éléments de la mosquée originelle, dont les non-musulmans ne peuvent voir que l'extérieur.

Les tombeaux Saâdiens★★

F5 sur plan général. Comptez 30mn - à droite de la mosquée d'el-Mansour, un long couloir exigu, percé dans la muraille, mène à l'entrée des tombeaux - tlj 8h30-11h45, 14h30-17h45 - 10 DH (0,90 € env.). Ils témoignent de l'histoire de la dynastie saâdienne, qui s'apparente à une fiction moderne où meurtres et trahisons furent perpétuellement présents. Tous ces enfants de la malédiction se retrouvent aujourd'hui dans ces mausolées, bâtis au 16e s. par Ahmed le Doré. Quand, un siècle plus tard, le sultan alaouite Moulay Ismaïl accéda au pouvoir, il n'osa pas les détruire, mais les entoura d'une enceinte pour qu'on ne puisse y accéder que par la mosquée. Le passage qui permet désormais l'accès des tombeaux aux non-musulmans ne fut aménagé qu'en 1917, lorsque l'on redécouvrit, par hasard, leur existence. Le haut couloir obscur débouche sur un ravissant cimetière, véritable havre de paix, égayé par les touches pastel des roses trémières, les taches mauves des bougainvillées et les reflets rouges des hibiscus. Les mausolées, construits de part et d'autre, frappent par l'alternance des murs blancs et des matériaux finement travaillés : dentelle de stuc, plafonds et poutres en cèdre sculpté.

Le mausolée principal (sur la gauche en entrant) comprend trois salles. Dans la **salle du mihrab**, rythmée par quatre colonnes de marbre, reposent surtout des tombes d'enfants, ainsi que des tombes alaouites ajoutées au 18e s. Admirez le mihrab et les portes en cèdre massif sculptées de versets du Coran ! Véritable chef-d'œuvre de l'art hispano-mauresque, la seconde salle compte **12 colonnes** en marbre de Carrare, soutenant une **coupole de cèdre** sculpté et doré. Les trois tombeaux au centre abritent les sépultures d'Ahmed el-Mansour, de son fils et de son petit-fils, tandis que les autres membres de la famille reposent au pied des murs. Enfin, la **salle des Trois Niches**, richement décorée, réunit les tombes des enfants, des femmes et des concubines des princes. Au milieu du jardin, un autre mausolée abrite la **koubba de Lalla Messaouda**, la très vénérée mère d'Ahmed el-Mansour. À côté de la cour reposent les serviteurs et les soldats les plus fidèles.

Palais el-Badi★

F4-5 sur plan général. Comptez 30mn - sur la place des Ferblantiers, une pancarte indique l'emplacement du palais el-Badi, que l'on rejoint par une ruelle à droite - tlj 8h30-11h45, 14h30-17h45 - 10 DH (0,90 € env.) visite du palais ; 20 DH (1,80 € env.) billet combiné avec le minbar.
L'histoire du palais el-Badi pourrait se résumer par « grandeur et décadence ». Après sa victoire sur les Portugais lors de la bataille des Trois Rois, en

1578, le roi saâdien **Ahmed el-Mansour** décida de faire construire un palais digne des *Mille et Une Nuits* : **360 pièces, 20 coupoles, une cour de 135 m sur 110 m, un bassin de 90 m sur 20 m**… Et, comme la folie des grandeurs n'a pas de limite, les matériaux n'étaient autres que du marbre d'Italie, de l'onyx d'Inde ou du granit d'Irlande. Les chroniqueurs de l'époque le décrivent comme l'une des merveilles du monde musulman. Mais le palais connut un bien triste sort. En 1683, le sultan alaouite Moulay Ismaïl le dépouilla pour orner ses palais de Meknès. C'est ainsi que s'anéantirent vingt-cinq ans de travaux en dix ans de démolition.

Aujourd'hui, le palais el-Badi se réduit à une immense enceinte de pisé dont les créneaux sont ponctués par les nids de cigogne. À l'intérieur, des orangers et des caroubiers entourent les bassins. Seules les dimensions de l'enceinte permettent d'imaginer ce qu'a pu être el-Badi au temps de sa splendeur. Chaque année en juin, le Festival national du folklore redonne vie aux lieux le temps de quelques soirées. Au fond de la vaste cour, un pavillon abrite l'ancien **minbar de la Koutoubia★★★**, récemment restauré. Orné de marqueterie et de calligraphie coufique, superbement sculpté, ce minbar du 12e s. n'a cessé d'inspirer les poètes arabes et espagnols. Il fut fabriqué à Cordoue, sur la commande de l'Almoravide Ali ben Youssef (1106-1143), puis transporté à Marrakech pièce par pièce pour être installé dans la mosquée du souverain. Lorsqu'en 1147, l'Almohade Abd el-Moumen s'empara de la ville et construisit la Koutoubia, il y établit le minbar, qui fut alors sorti tous les vendredis pour la prière jusqu'en 1962.

Palais de la Bahia★★

G4 sur plan général. *Comptez 1h - r. Riad Zitoun el-Jdid - tlj 8h45-11h45, 14h45-17h45 (vend. fermé 11h30-15h) - 10 DH (0,90 € env.).*

Ce palais fut construit à la fin du 19e s. par **Ba Ahmed**, vizir des sultans Moulay Hassan et Abdelaziz. Ce puissant personnage était fort gourmand en argent et en amour – il avait 4 femmes légitimes et 24 concubines ! Cela explique la taille gigantesque de cette demeure, véritable dédale de jardins, de cours et de salons. Il la baptisa Bahia, ou « la Belle », du nom de sa première épouse. Chaque pièce du palais avait sa fonction particulière. La première cour était entourée d'une salle de réception, d'une salle d'attente et d'un bureau. C'est là que travaillait le maître de maison. Derrière, un patio donnait accès aux quatre chambres des femmes légitimes, la plus belle étant bien sûr celle de la Bahia. La cour suivante réunissait les appartements des concubines et de leurs enfants. La dernière était entourée d'une mosquée, d'une école coranique et de l'appartement privé du maître. La décoration de l'ensemble s'inspire des styles arabe, turc et européen. Les murs du premier

67

patio sont ornés de bois de cèdre et de stuc travaillé durant seize années. Les plafonds, tous différents les uns des autres et en forme de nefs renversées, sont colorés à l'aide de produits naturels : henné, safran, grenade, jaune et blanc d'œuf. Le résident **général Lyautey**, qui avait fait de ce palais sa résidence lors de ses séjours à Marrakech, fit ajouter les cheminées, le chauffage et l'électricité.

Maison Tiskiwin★

F4 sur plan général. *Comptez 30mn - 8 r. de la Bahia - ☎ 05 24 38 91 22 - tlj 9h30-12h30, 15h30-17h30 - 15 DH (1,35 € env.).* La maison doit son nom à une danse du Haut Atlas. Le Hollandais Bert Flint a mis en place, dans cette **demeure hispano-mauresque** du début du 20e s., une exposition permanente intitulée : « L'Art de la parure au Sahara, Maghreb et Sahel. » Sous forme d'un voyage imaginaire le long des anciennes pistes reliant Marrakech à Tombouctou, elle met en valeur les liens culturels des différentes populations de l'espace saharien.

En sortant de la maison Tiskiwin, prenez la première rue à gauche. Admirez la superbe **fontaine**, dont les inscriptions signifient « la baraka de Mahomet ».

✖ Musée Dar Si Saïd★★

F4 sur plan général. *Comptez 1h - derb Dar Si Saïd, r. Riad Zitoun el-Jdid - tlj sf mar. 9h-12h15, 15h-18h15 - 20 DH (1,80 € env.).*
Cette demeure porte le nom du ministre qui la fit construire à la fin du 19e s. ; celui-ci n'était autre que le frère du propriétaire de la Bahia. Son palais supporte la comparaison avec son célèbre voisin. Il fut transformé en 1912 en **musée d'Art régional du Sud marocain** et abrite régulièrement des expositions temporaires. Le long du couloir d'entrée, attardez-vous sur les portes en bois des kasbahs du Sud. Vous arrivez ensuite dans le riad, planté de grenadiers, de cyprès, de palmiers, de bougainvillées. Sur le côté s'ouvrent les anciennes pièces de réception, aux plafonds en bois peint ou en cèdre brut, zelliges et incroyables dentelles de stucs colorés sont des modèles du genre.

Détail du palais de la Bahia.

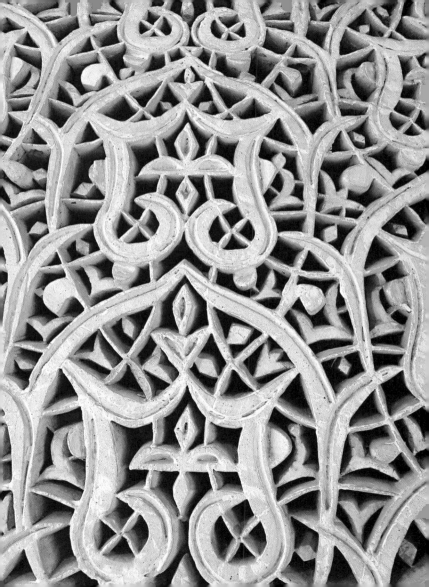

La place Jemâa el-Fna★★★

Si vous découvrez la place Jemâa el-Fna en milieu de journée, vous vous demanderez d'où vient sa célébrité : la Banque du Maghreb et la poste centrale de style néomauresque, le restaurant Argana, l'ancienne gare de la CTM et le café de France bordent un vaste espace désert que domine la Koutoubia. Revenez en fin d'après-midi et, là, vous serez immédiatement séduit. Installez-vous sur l'une des terrasses de café en hauteur et contemplez le spectacle. On se croirait dans une immense cantine à ciel ouvert.

➜**Conseil :** Venez de préférence en fin de journée pour apprécier l'ambiance de la place.

À l'entrée des souks, cette vaste place, dont le nom signifierait « **réunion des trépassés** », était autrefois la « place de Grève » de Marrakech : c'est là que les sultans suppliciaient les criminels. Lieu d'échange entre l'extérieur et la médina, dont elle est le cœur, Jemâa el-Fna a acquis une renommée universelle. Dès la fin d'après-midi, abrités sous de grands paillassons soutenus par des perches ou à l'intérieur de petites échoppes dressées autour de la place s'installent des **marchands** de toutes sortes (marchands d'oranges, porteurs d'eau, vendeurs d'épices, de fruits, d'herbes rares, de babioles, d'amulettes et même de dentiers), tandis qu'afflue la foule des badauds. Acrobates, charmeurs de serpents, danseurs et musiciens gnaouas, conteurs et écrivains publics, autour desquels des cercles se font et se défont, s'emparent de la place, qui s'éclaire alors de nombreuses lampes à gaz scintillant d'une lumière très blanche.

Jemâa el-Fna, patrimoine oral de l'humanité

En mai 2001, l'Unesco a décerné à la place Jemâa el-Fna le titre de « chef-d'œuvre du patrimoine oral et immatériel de l'humanité ». Cette distinction, demandée par nombre d'intellectuels et d'artistes, vient reconnaître l'extraordinaire talent des « artistes de la *halka* », ces poètes et conteurs qui transmettent et réinventent sans cesse, dans une surenchère permanente et pour le plus grand plaisir des badauds assemblés en cercle (la *halka*) autour d'eux, les traditions orales et gestuelles : épopées chevaleresques, chansons de geste et contes des *Mille et Une Nuits*. Tous les genres cohabitent allègrement, et le talent de certains conteurs, comme aujourd'hui Mohammed Bariz, est tel que le public suit avec passion les épisodes de leurs récits pendant plusieurs mois.

Vendeurs sur la place Jemâa el-Fna.

Au cœur de la médina : les souks★★★

Vieux de huit siècles, les souks de Marrakech servaient, à l'origine, de point de rencontre pour les caravaniers en partance vers les grandes routes du Sud. Plus tard, des artisans, surtout des tisserands et des tanneurs, occupèrent les lieux. Ils sont aujourd'hui des milliers à travailler calmement à l'ombre des lattis de roseaux, dans le brouhaha des passants et des commerçants. Les souks sont organisés par corporation. Même si vous disposez du plan de ce labyrinthe, vous aurez beaucoup de mal à vous y retrouver. Ici, les sons, les parfums, les sensations vous guident. À chacun donc de créer son itinéraire.

→**Conseil :** Si vous craignez de vous perdre ou de manquer une partie de la visite, vous pouvez faire appel à un guide officiel en vous adressant à l'office de tourisme *(voir p. 7)*. Le départ a lieu place Jemâa el-Fna, face au Café de France.

Souk Feharine

(Souk des potiers)
F3 sur plan général.
Plats à tajine, bougeoirs, vases, cendriers et cruches se répandent sur le pavé. Les poteries fassies sont bleu cobalt, les poteries berbères, décorées avec la croix du Sud ou le losange nomade (signe des quatre points cardinaux), celles de Safi sont polychromes.

Souk Attarine

(Souk des épices)
F3 sur plan général.
Posés à même le sol ou sur une table, des sacs en papier débordent de poudres, de plantes ou de graines, toutes colorées et odorantes : du cumin, de la cannelle, de la menthe, du ras el-hanout, du safran, du piment, etc.

Souk Smarine

F3 sur plan général. *Dans la kissariya moderne.*
Les échoppes de ce souk sont entièrement drapées. Les plus élégantes s'ornent de douces soieries ou de mousselines transparentes, les plus modestes, de tissus synthétiques. À côté sont suspendus des caftans brodés au fil d'or.

Souk des apothicaires

F3 sur plan général.
Les apothicaires concoctent des philtres d'amour pour raviver les passions attiédies. C'est simple : une once de ras el-hanout, un peu de curry, quelques pistils de safran et 1 g de secret. Tous les maux trouvent remède : rhume, toux, problèmes de poids, anxiété, adultère… Mais les meilleures ventes se font sur tout ce qui touche à la beauté.

Une boutique du souk.

Souk Zrabi

F3 sur plan général.
Les murs sont recouverts de sompteux tapis. Épais et très colorés, les tapis rbatis ont le style des riches demeures. Ceux des nomades du Haut Atlas portent les dégradés de l'horizon et des montagnes. Les sédentaires ont opté pour des tons vifs contrastant avec la blancheur des murs des douars. De Marrakech à Ouarzazate, les tapis dits « glaoua » ont un fond noir. Entre la place **Rabba Kédima** et le souk Zrabi a lieu tous les jours (sauf vendredi) la **criée berbère**. Vers 16h, les tapis sont dépliés sur le sol avant que ne s'élève l'incroyable polyphonie des enchères. Un moment unique à ne pas manquer.

Souk Sebbaghine

(Souk des teinturiers)
F3 sur plan général.
Des bras nus plongent et replongent dans de gigantesques chaudrons. Rouge vermeil, orange fruité ou jaune citron, indigo, des écheveaux de laine ou des fils synthétiques sèchent librement au soleil.

Souk Smata

F3 sur plan général.
Ce souk regorge de babouches simples ou brodées. Essayez-en une paire, marchez un peu et vous sentirez la nonchalance marrakchie.

Souk Seffarine

(Souk du cuivre)
F3 sur plan général.
Les bruits de marteau signalent les dinandiers, qui fabriquent lanternes et plateaux à thé.

Souk Cherratine

F3 sur plan général.
C'est dans ce souk qui embaume le cuir frais que les tanneurs de Bab Debbagh apportent sur des charrettes les peaux travaillées. Les artisans se chargent ensuite de les métamorphoser en sacs, sacoches, porte-monnaie, poufs ou cartables.

Souk Haddadine

F3 sur plan général.
C'est le domaine des ferronniers et des forgerons. Ces magiciens du fer brut transforment le métal en lanternes, grillages, serrures et panneaux routiers.

La place ben Youssef★★★ ✕

En sortant des souks du côté nord, vous atteignez la place ben Youssef, autour de laquelle s'élèvent quelques monuments remarquables, restaurés pour certains sous l'égide de la Fondation Omar Benjelloun. Après la rénovation de Dar M'Nebhi et l'ouverture du musée de Marrakech ont été menées à bien les restaurations de la medersa ben Youssef et de la koubba almoravide. Tout à côté, Dar Bellarj est une belle maison ancienne à qui la Fondation pour la culture au Maroc a redonné vie.

➜**Conseil :** Il existe un billet combiné pour les trois principaux monuments de la place (60 DH -5,50 €). Cette formule est la plus économique si vous souhaitez visiter à la fois la koubba, le musée et la medersa.

Koubba ba'Adiyn★

F3 sur plan général. ✆ 05 24 44 18 93 - avr.-sept. : tlj 9h-19h ; oct.-mars : 9h-18h - fermé le 1er mai et les j. de fêtes religieuses - 10 DH (0,90 € env.).
Unique vestige de l'art almoravide (12e s.), la **koubba** fut exhumée dans les années 1950. On peut ainsi voir que le niveau du sol à Marrakech était nettement plus bas qu'aujourd'hui. Attenante à la première mosquée ben Youssef, la koubba servait de lieu d'ablutions avant les heures de la prière. Sur 80 km, l'eau parvenait des montagnes de l'Atlas par des conduits souterrains ! Un escalier en pierre vous conduira à la **fosse** où se trouve la **coupole**. De plan rectangulaire celle-ci présente sur ses quatre faces des ouvertures à arcs polylobés ou en fer à cheval, et est surmontée d'un dôme orné de chevrons en relief. Sous la coupole subsiste une cuve à ablutions. La **salle du fond** servait à stocker l'eau, qui était acheminée par des conduits vers la mosquée et trois fontaines.

Musée de Marrakech★

F3 sur plan général. ✆ 05 24 44 18 93 - www.museedemarrakech.ma - avr.-sept. : tlj 9h-19h ; oct.-mars : 9h-18h - fermé le 1er mai et les j. de fêtes religieuses - 30 DH (2,70 € env.).
Installé dans le palais arabo-andalou M'Nebhi, le musée de Marrakech n'accueille que des **expositions temporaires**. Elles mettent en valeur le patrimoine historique, mais aussi la création contemporaine. Des **manifestations culturelles** (soirées musicales et poétiques, colloques) s'y tiennent également. Autour du vaste **patio central**, couvert d'un vélum et doté d'un impressionnant lustre en métal ouvragé, plusieurs salles contiennent des pièces anciennes (monnaies, manuscrits arabes, céramiques, armes, bijoux, etc.), provenant pour la plupart du riche fonds des collections nationales et de la Fondation. Au fond à gauche se trouve un beau **hammam** restauré.

Mosquée ben Youssef

F3 sur plan général.
De la première mosquée ben Youssef, il ne reste que le nom. L'œuvre des Almoravides fut entièrement démolie et reconstruite par les Almohades, en hommage à Sidi Youssef ben Ali, l'un des sept patrons de la ville. Le **minaret**, haut de 40 m, sert de repère quand on se promène dans la médina.

Medersa ben Youssef★★

F3 sur plan général. ℘ 05 24 44 18 93 - avr.-sept. : tlj 9h-19h ; oct.-mars : 9h-18h - fermé le 1ᵉʳ mai et les j. de fêtes religieuses - 30 DH (2,70 € env.).
Flambeau de la dynastie saâdienne, la *medersa* fut fondée au milieu du 14ᵉ s. par le sultan mérinide **Abou el-Hassan**. Elle n'était à l'origine qu'une simple université coranique, mais, en 1564-1565, le sultan saâdien Moulay Abdallah la transforma en une institution dont la célébrité allait s'étendre aux confins du Maghreb. Ses 132 chambres, dont la petitesse et la simplicité contrastent avec le raffinement andalou du reste de l'établissement, occupent l'étage et abritèrent jusqu'à 900 étudiants. En 1960, la *medersa* fut désaffectée puis restaurée ; il fallut attendre vingt-deux ans pour qu'elle soit de nouveau ouverte au public.
Une fois franchie la porte aux lourds battants en bronze surmontée d'un linteau en cèdre, on traverse un sombre couloir décoré de mosaïques et de poutres sculptées. Vous pénétrez ensuite dans une **cour rectangulaire**, au centre de laquelle se trouve un bassin de marbre blanc destiné aux ablutions. Le soubassement des murs est orné d'une frise de zelliges colorés surmontés de stuc finement ciselé. Au fond de la cour, un magnifique portail donne accès à la **salle de prière**. Divisée en trois parties par une double colonnade de marbre, la salle est surmontée d'une coupole pyramidale en cèdre ; 24 petites fenêtres en plâtre ajouré éclairent la pièce. Le **mihrab** est revêtu d'une dentelle de stuc ouvragé. Les cellules donnent soit sur le patio central, soit sur l'une des sept courettes bordées, à l'étage, de balustrades en bois tourné. Les chambres du haut, plus grandes (env. 9 m²) et pourvues de fenêtres, étaient destinées aux étudiants les plus privilégiés.

Dar Bellarj★

F3 sur plan général. 9 Toualt Zaoulat Lachdr (à droite en sortant de la medersa) - ℘ 05 24 44 88 93 - tlj sf dim. 9h-13h30, 14h30-18h - 15 DH (1,35 € env.).
La **Fondation pour la culture au Maroc** a ouvert ses portes en 1999 dans cette « maison des Cigognes ». Construite sur l'emplacement d'un ancien fondouk dont le dernier étage abritait un hôpital pour cigognes, la Fondation propose deux **expositions** thématiques par an. Elle organise en parallèle des ateliers d'écriture, de peinture, de musique et de modelage.

Fontaine Echrob ou Chouf

F2 sur plan général.
Cette fontaine monumentale (dont le nom peut se traduire par « Bois et admire ») est dotée d'un linteau portant des inscriptions coufiques et est surmontée d'un auvent en bois de cèdre sculpté couvert de tuiles.

Le musée de Marrakech.

Le tour des remparts★★

L'idée de construire des remparts autour de la ville pour la protéger des incursions ennemies revient à l'Almoravide Ali ben Youssef. La muraille en pisé s'édifia en 1132, mais les dynasties almohade et saâdienne n'eurent de cesse de l'agrandir et de la restaurer. Longs de 19 km, les remparts sont flanqués de 202 tours carrées et percés de nombreuses portes. Tout d'ocre vêtus, ils passent du rose au rouge, au brun, au gré de l'ombre et de la lumière.

→**Accès :** En voiture, prenez l'avenue Mohammed V vers la Koutoubia. Arrêtez-vous à Bab Nkob et tournez à gauche pour longer les remparts. Si vous choisissez de vous y rendre en calèche, partez de la place Jemâa el-Fna ou de Bab Nkob. Mais cette formule est peu conseillée en raison des nombreux arrêts incontournables. Comptez 200 DH (18 € env.).

Bab Nkob

D3 sur plan général.
La poterne, n'est en fait qu'une percée dans les remparts, effectuée sous le protectorat pour permettre la circulation entre la vieille ville et le quartier moderne. C'est le passage qu'emprunte la large **avenue Mohammed V**, longeant l'agréable **Cyber Parc Arsat Moulay Abdeslam**, ponctué de bornes multimédia.

Bab Sidi Rharib

D4 sur plan général.
La partie des remparts qui relie Bab Nkob à Bab Sidi Rharib est l'une des plus anciennes et des mieux conservées.

Bab Jdid

D4 sur plan général.
Cette porte est réputée pour son emplacement, à proximité de l'**hôtel de La Mamounia** *(voir p. 28)*. Édifié

en 1923 par les architectes Prost et Marchisio, ce prestigieux palace a attiré de nombreuses célébrités, parmi lesquelles Winston Churchill, Maurice Chevalier, Joséphine Baker, Édith Piaf, Ray Charles… À l'intérieur, visitez le grand salon orné des peintures de Jean Besancenot et le restaurant L'Impériale, dont le plafond est l'œuvre de Jacques Majorelle. Quant au vaste jardin, on y accède par une petite porte, dite **Bab Mamounia**, située à 200 m de Bab Jdid.

Bab Agnaou★

♿ *« Le sud de la médina »*, p. 64.

Bab er-Rob

E5 sur plan général.
Elle porte un bien joli nom signifiant « porte du jus de raisin ». Sous le règne de Yacoub el-Mansour, c'est là que les autorités contrôlaient l'entrée du vin cuit des vignobles de l'oued

Les remparts et l'Atlas.

N'Fis. Passage obligé entre Marrakech et ses environs (l'Ourika), cette porte assurait la protection de la ville.

Bab Ksiba et Bab Irhli

E5-6 sur plan général. *À droite de la kasbah.* Ces portes vous conduiront toutes deux au cœur de la médina. C'est l'occasion de découvrir les quartiers les plus authentiques de la ville et de visiter la **place du Grand Méchouar**, où s'offraient autrefois aux sultans de fulgurantes fantasias.

Bab el-Makhzen

(Porte de l'Agdal)
F5 sur plan général.
Admirez le **palais royal** (entrée interdite), et empruntez, tout de suite à droite, la route qui mène au jardin de l'Agdal.

Jardin de l'Agdal

G6 sur plan général. *Jardin ouvert au public vend. et dim. 8h-17h - entrée libre.*
Ce verger fut créé au 12e s. par l'Almohade **Abd el-Moumen**. Sept siècles plus tard, les Alaouites se chargèrent de l'agrandir, d'y creuser un autre bassin et de l'entourer d'une muraille dotée de tours et de portes. Étendu sur près de 3 km, le jardin présente de nombreuses espèces d'arbres fruitiers. L'immense **oliveraie** sert d'aire de pique-nique.

Bab Ahmar

(Porte Rouge)
G5 sur plan général.
Elle accueillait les sultans de passage à Marrakech. Après avoir longé les

cimetières et être passé devant la **zaouïa de Sidi Youssef ben Ali**, saint lépreux et ascète vénéré des mendiants, on arrive à Bab Rhemat.

Bab Rhemat

H4 sur plan général.
Son nom est emprunté à un ancien village berbère, situé sur la route de l'Ourika, dont les premiers habitants émigrèrent vers Marrakech.

Bab Aïlen

H3 sur plan général.
Elle date de l'époque almoravide. Peu endommagée par les siècles, elle peut s'enorgueillir d'avoir arrêté en 1129 les Almohades, venus conquérir Marrakech.

Bab Debbarh et le quartier des tanneurs★

G2-3 sur plan général.
En longeant l'oued Issil, on arrive à Bab Debbarh, la **porte des Tanneurs**. Cinq fois coudée, cette porte est l'une des mieux protégées de la ville. Moins impressionnant que celui de Fès, le quartier des tanneurs de Marrakech n'en demeure pas moins un lieu étonnant. Mis à part les odeurs, que certains jugent désagréables, voire pestilentielles, il est intéressant de découvrir cette activité singulière et ancestrale. Un guide, ou de préférence un tanneur, vous expliquera les différentes étapes de fabrication du cuir. Pour ne rien manquer, il est préférable d'y aller tôt le matin.

Bab Kechich et Bab el-Khemis

F2 sur plan général.
Après Bab Kechich, on arrive à la porte qui côtoie l'oued Issil, Bab el-Khemis. Cette **« porte du Jeudi »** doit son nom à l'ancien souk aux chameaux qui s'y tenait toutes les semaines. Encadrée de deux bastions, elle permettait l'accès au nord de la médina. C'est là que se tient aujourd'hui le **marché aux puces** (voir p. 53).

Quartier Sidi bel Abbès

E1-2 sur plan général. Comptez 30mn de visite pour les non-musulmans.
Sidi bel Abbès (1130-1205) est le plus célèbre des sept saints de Marrakech. Ancien enseignant entièrement dévoué à l'islam, il secourait les mendiants et rendait la vue aux aveugles. Tous les jours, des fidèles déposent dans la **zaouïa** de multiples offrandes ; le soir, les dons sont distribués aux déshérités et aux aveugles, qui forment une vraie cour des miracles aux abords du bâtiment. En face se dresse la superbe **fontaine de Sidi bel Abbès**. Restaurée, elle exhibe une très belle grille ouvragée et un auvent entièrement recouvert de zelliges colorés et de plâtre sculpté qu'entoure une frise calligraphique. La **mosquée** et la **medersa** ont été bâties en 1605 sous le règne du Saâdien Abou Farès. Au nord de la mosquée s'entrelacent des ruelles marchandes animées où le touriste se fait rare.

Bab Doukkala

D2 sur plan général.
Cette porte almoravide tient son nom d'une tribu berbère vivant à proximité de l'oued Tensift. Décorée plus discrètement que ses consœurs, elle évoque la simplicité royale.

Bab er-Raha

D3 sur plan général.
Avec ses deux imposants **bastions crénelés**, elle se trouve à côté de l'hôtel de ville.

La ville nouvelle : le Guéliz et l'Hivernage

Comme toutes les villes nouvelles du Maroc, le Guéliz à Marrakech est né de la volonté du résident général Lyautey qui, sous le protectorat, en confia la conception à l'architecte Henri Prost. Le quartier se compose d'avenues très larges, bordées d'immeubles qui s'articulent en étoile, reliées par un réseau de rues plantées pour la plupart de jacarandas aux ravissantes fleurs mauves. C'est ici que sont installés les sièges des sociétés, les agences de voyages, les banques, les compagnies aériennes, les commerces de luxe et de nombreux hôtels et restaurants. Au quartier du Guéliz, Henri Prost ajouta une zone de villégiature, réservée aux diplomates ou aux officiels qui venaient passer l'hiver à Marrakech, d'où son nom d'Hivernage. La plupart des élégantes villas de ce quartier ont aujourd'hui été remplacées par des hôtels de luxe.

➜**Conseil :** La Ménara est magnifique au coucher du soleil. Attendez donc la fin d'après-midi pour vous y rendre.

✈ Le jardin Majorelle★★

C1 sur plan général. *Comptez 1h - av. Yacoub el-Mansour - ☏ 05 24 30 18 52 - www.jardinmajorelle.com - tlj 8h-19h (en été), 8h-17h (en hiver) - visite du jardin 30 DH (2,70 € env.), musée 15 DH (1,35 € env.).*
Ce jardin doit son nom au peintre français **Jacques Majorelle**, qui découvrit Marrakech en 1917. Venu pour y soigner sa tuberculose, il s'y installa en 1922 et vécut jusqu'en 1962 dans la maison que l'on aperçoit à travers les grilles. En 1980, il fut racheté par **Yves Saint Laurent** et Pierre Bergé qui, après d'importants travaux de restauration, passèrent le flambeau à l'**Association pour la sauvegarde et le rayonnement du jardin Majorelle**, créée en 2001.

À la mort d'Yves Saint Laurent, en juin 2008, les cendres du célèbre couturier ont été dispersées dans la roseraie de son ancienne villa, qui jouxte le jardin Majorelle. Une stèle à sa mémoire est érigée dans le jardin. Le jardin frappe surtout par sa palette de couleurs : on y reconnaît l'œuvre d'un coloriste, qui rapporta de ses voyages exotiques une variété incalculable de plantes, de fleurs et d'essences : cactus, hibiscus, bambous, yuccas, palmiers nains, orangers, bananiers, cocotiers, oliviers, rosiers, bougainvillées, cyprès et d'autres encore. Et, pour parfaire le tableau, le peintre a rehaussé les lieux de tons vifs : bleu cobalt pour l'atelier et les bassins, touches de jaune soufre, de vert et de rouge sur les fenêtres, les grands pots en terre et les allées. L'ancien

Le pavillon de la Ménara.

atelier du peintre a été transformé en **musée d'Art islamique**. La première salle est consacrée à Majorelle. Des reproductions de ses aquarelles, notamment sur le Sud marocain, accompagnent un tableau original (*Souk el-Khemis*, gouache rehaussée de pastel, Marrakech). La suivante est dédiée à la femme : bijoux citadins et berbères, ceintures tissées en soie du nord du Rif (fin 19e s.), coffre de mariée en bois de cèdre du nord du Rif (18e s.), et une huile sur toile, *Femme berbère*, peinte par Majorelle en 1921. Le bleu cobalt des poteries de Fès des 17e-19e s. illumine la troisième salle. La quatrième abrite des portes du Sud marocain ornées de pièces en bois de cèdre (18e et 19e s.) et une somptueuse collection de tapis de Tazenakht (Haut Atlas), Rabat, Chichaouas, Zemmour. La visite se termine par une salle touarègue (bijoux, poteries, nattes…).

Marché central

C2 sur plan général. *Avenue Ibn Toumert.* Vous trouverez des fruits et légumes, des fleurs et autres produits frais, ainsi que de l'artisanat.

Opéra de Marrakech

B3 sur plan général. *À l'angle des avenues Mohammed VI et Hassan II.* Conçu par l'architecte Charles Boccara dans les années 1980. Les opéras ne faisant pas partie de la culture marocaine, il est principalement utilisé pour d'autres manifestations culturelles.

Palais des Congrès

B4 sur plan général. *Avenue Mohammed VI.*
Construit sur cinq niveaux dans un style à la fois moderne et classique et décoré de toiles de peintres marocains, il accueille depuis 1989 salons, conférences internationales, séminaires et manifestations culturelles : concerts de musique classique ou de jazz, soirées folkloriques, pièces de théâtre ou expositions de peinture.

La Ménara★★

A5 sur plan général. *Tlj 7h-17h30 - vous pouvez vous y rendre en taxi (10 DH env.-0,90 € env.) ou dans une calèche (80 DH env.-7 € env.), que vous trouverez sur le grand terrain de Bab Jdid.*
Le **pavillon de la Ménara** se reflétant au coucher du soleil dans l'eau limpide du bassin avec, en arrière-plan, les monts enneigés de l'Atlas, est l'une des images emblématiques de Marrakech. On attribue la construction du bassin central aux Almohades. La dynastie des Saâdiens puis celle des Alaouites transformèrent ce lieu en un magnifique jardin, ceint d'une muraille en pisé longue de 4 km. Élevé en 1866, le pavillon était le lieu de rendez-vous des sultans et de leurs élues. On raconte même qu'à l'aube, l'un d'eux poussait dans le bassin sa compagne de la nuit ! Dotée d'un bon système d'irrigation, la Ménara est aujourd'hui exploitée comme **verger d'essai**. Un spectacle est organisé le soir sur le bassin.

La palmeraie★

Quelle est l'origine de cette palmeraie, incontestablement la plus belle du Sud marocain ? La légende raconte que les tribus nomades d'Abou Bakr et Youssef ben Tachfine, installées dans la plaine du Haouz, se délectèrent des nombreuses dattes ramenées des oasis sahariennes. Des noyaux crachés sur la terre serait née la palmeraie !

➜**Accès :** En voiture, quittez le centre-ville en direction du nord-ouest, par la route de Casablanca. Juste avant le pont sur l'oued Tensift, prenez à droite la petite route qui s'enfonce dans la palmeraie. Le circuit est indiqué. Vous pouvez aussi y accéder en calèche *(voir ci-dessous)*.

➜**Conseils :** Promenez-vous dans la palmeraie en fin d'après-midi lorsque la lumière est la plus belle. Si vous êtes à Marrakech au printemps, toute la végétation sera en fleurs.

La palmeraie en calèche

Hors plan. *Comptez 2 à 3h - circuit de 22 km - prenez une calèche à Bab Doukkala, le prix ne devrait pas dépasser 200 DH (18 € env.).*
Étendue sur près de 14 000 ha, la palmeraie compte plus de 100 000 arbres de diverses espèces, entre lesquels se nichent des jardins maraîchers, des vergers et des champs de blé, d'orge et de maïs. Le débit de l'oued Tensift étant insuffisant, l'**irrigation** *(voir p. 111)* se fait par des *rhettaras,* systèmes de canalisation qui amènent l'eau des nappes phréatiques à la surface du sol. Mais ce système, utilisé dès la fondation de la ville, tombe en désuétude. La plupart des *rhettaras* étant épuisées, la sécheresse menace ce qui fut autrefois un immense jardin tropical. Un ambitieux projet développé par le *super-wali* de Marrakech, Mohammed Hassad, vise à lui faire retrouver sa splendeur passée, grâce à l'introduction de 300 000 plants, cultivés dans une pépinière à partir des rejets des palmiers actuels.

La palmeraie attire aujourd'hui de nombreux promoteurs qui y implantent hôtels de luxe, ensembles résidentiels ou somptueuses demeures privées. Les trois **golfs** environnants comptent parmi les plus beaux du royaume. Et rien ne paraît pouvoir freiner cette folie spéculative.

85

Escapade à Essaouira★★

À quoi tient donc la magie d'Essaouira « la blanche » ? Est-ce à son improbable architecture européenne ou à ses remparts admirablement conservés ? Pour une part, sans doute. Bien sûr, il y a tout le pittoresque de la vie traditionnelle : l'animation du port, les étals colorés des souks, les vieux ébénistes, les tireurs de petites charrettes, les silhouettes en djellaba sur la plage. Mais il y a d'autres raisons, impalpables, indicibles : la force irrésistible des vents alizés, la lumière changeante de l'Atlantique, la présence obsédante des mouettes, l'ambiance paisible, l'odeur du bois de thuya. Et puis aussi, derrière l'austérité du haïk, la fascination de certains regards. La foule a envahi Essaouira, pourtant, le charme demeure…

➜**Accès :** Au départ de Marrakech, en bus (CTM), un départ par jour (durée : 3h30 - 35 DH-3,20 €), en bus climatisé (Supratours), quatre départs par jour (durée : 2h30 - 60 DH-5,50 €). En voiture, par la N 8 et la R 207, comptez environ trois heures.

➜**Conseils :** Prévoyez une laine pour le soir. Attention aux courants sur la plage !

Le port★★

Plan p. 90.

La **porte de la Marine**★ est une belle construction néoclassique (1769), plus décorative que vraiment défensive malgré la présence des deux échauguettes. Deux colonnes cannelées supportent un fronton sous lequel sont gravés trois croissants de lune, symbole du sultan Mohammed ben Abdallah. Après un petit escalier à droite de la porte *(tlj 8h30-12h30,14h30-18h ; 10 DH-0,90 € env.)*, un beau **pont fortifié**★ permet d'accéder à la skala du port en passant sous une grosse **tour carrée**★. Au sommet de cette dernière, la **vue panoramique**★★ englobe la médina, le port, la *skala*, et, noyées dans les embruns, Diabat et l'île de Mogador. On ne se lasse pas d'observer le ballet des mouettes qui, après s'être laissé porter par les alizés, aiment venir se reposer un instant sur le pinacle de l'une des quatre échauguettes. Attardez-vous à guetter le retour des bateaux de pêche.

En contrebas de la tour s'étend la **skala du port**★, longue plate-forme crénelée où est disposée, face au large, une douzaine de canons en bronze ; elle se termine par un rond-point conçu pour manœuvrer les lourdes pièces d'artillerie. Souvenez-vous du film *Othello* : Orson Welles utilisa la plate-forme et les remparts d'Essaouira pour tourner certaines scènes ; le film obtint la Palme d'or au Festival de Cannes en 1952.

La *skala* offre un excellent point de vue sur le petit **port**★ de pêche, blotti au pied des fortifications. Allez-y flâner un moment, de préférence le matin lorsque l'activité bat son plein, pour goûter à son atmosphère unique.

Les remparts de la ville blanche d'Essaouira.

Les barques et chalutiers colorés, les femmes raccommodant les filets, les pêcheurs déchargeant les sardines et les maquereaux en font un lieu très vivant. Si vous avez un petit creux, vous pourrez vous régaler d'une friture de sardines toutes fraîches. Le spectacle le plus fascinant se passe à la criée, lorsque des escadrilles de mouettes, dans un concert de cris, viennent piller sous leurs yeux les étals des pêcheurs.

Les remparts★★

Plan p. 91.
Le plan général des fortifications, inspiré des œuvres de Vauban, a été conçu par Théodore Cornut. Longs de plus de 2 km, les remparts étaient renforcés par les batteries du port et de la ville pour parer aux attaques navales, et par le bastion sud pour se prémunir contre un assaut terrestre. Un réseau de fortins et de batteries placés sur les îlots, l'île de Mogador et la plage de Diabat venait compléter le dispositif défensif.
La **rue de la Skala**, très étroite, longe l'intérieur du rempart où s'alignent de hautes façades blanches à fenêtres bleues ; quelques ruelles couvertes se détachent sur la droite, avant d'atteindre la *skala* de la ville. Naguère, les anciennes casemates voûtées servaient d'ateliers aux ébénistes et il s'en échappait la fumée des feux de copeaux. Si, aujourd'hui, l'air est toujours chargé de l'odeur du bois de thuya et de l'huile de lin, la plupart des ateliers sont transformés en boutiques et les véritables artisans se font rares dans le quartier.

Une longue rampe donne accès à la **skala de la ville★★** *(tlj 8h30-18h)*. Une belle porte ouvre sur la plate-forme circulaire, où l'on manœuvrait les canons du bastion nord. La vue, superbe, s'étend sur les remparts et la médina. Un escalier descend sur l'impressionnante *skala*, muraille longue de 200 m et armée d'une vingtaine de canons, fondus, pour la plupart, à Barcelone et à Séville à la fin du 18e s.

La médina★★

Plan p. 91. *Comptez 2h.*
En chargeant des ingénieurs et des architectes européens de créer une ville ex nihilo, le sultan leur fournit une occasion unique de mettre en pratique les théories de l'urbanisme du Siècle des lumières. Essaouira est ainsi la seule médina du Maroc à posséder un **plan orthogonal**, avec des artères inhabituellement larges et parfaitement rectilignes. L'axe principal, orienté au nord-est, se compose des avenues Oqba ibn Nafiaa et Mohammed ben Abdallah, qui sont coupées à angle droit par les rues el-Attarine et Mohammed el-Qory. à l'intérieur de chacun des îlots, cette rigueur est tempérée par la fantaisie tout orientale des ruelles et des impasses biscornues. Derrière la noblesse austère des façades blanches, le visiteur un peu curieux découvrira le grouillement coloré d'une vie mystérieuse.
La rue Laâlouj est l'une de ces artères larges et droites ; elle croise l'avenue Mohammed ben Abdallah, où elle prend le nom de rue el-Attarine. Installé dans un beau riad du 19e s. qui abrita la

mairie sous le protectorat, le **musée Sidi Mohammed ben Abdallah★** *(r. Laâlouj - tlj sf mar. 8h-18h30 ; vend. fermé de 11h30 à 15h - 10 DH-0,90 € env. - comptez 1h)* présente les arts et traditions de la région : instruments de musique propres aux différentes confréries (à commencer par les Gnaouas), tapis et tentures exécutés par les tribus chiadma et oulad bousbaa, marqueterie, incrustation, bois peint, vêtements, bijoux et armes décorées. Dans la longue **avenue Mohammed ben Abdallah★**, étroite et très animée, cohabitent harmonieusement petits commerces traditionnels et boutiques pour touristes.

Au bout de la rue, après une jolie fontaine publique, on atteint l'ancien **mellah** et ses ruelles sombres où, vers 1900, s'entassait 40 % de la population de la ville. On y comptait une quarantaine de distilleries dans lesquelles se préparait un alcool de figue anisé, la *mahia*, distribuée dans tout le sud-ouest du Maroc. La communauté juive rassemblait 18 000 personnes dans les années 1950. Toutes, à l'exception de six familles, ont quitté la ville après l'indépendance en 1956. Chaque année, en septembre, un pèlerinage attire juifs marocains et étrangers venus rendre hommage au rabbin Haim Pinto, enterré dans le cimetière de la ville.

Essaouira, l'ancienne Mogador

L'archéologie a montré que le site d'Essaouira avait été occupé dès l'époque préhistorique, mais la ville que nous voyons aujourd'hui est relativement récente, puisque les premiers travaux ne commencèrent qu'en 1764.

Au Moyen Âge, les avantages naturels de la baie n'échappent pas aux navigateurs portugais, qui appellent la ville « **Mogador** » (déformation probable du nom local Mogdoul) et y prennent pied quelque temps au début du 16e s. La canne à sucre est alors une importante production du Maroc ; Mogador en distille une bonne partie et exporte le sucre.

En 1764, le sultan **Mohammed ben Abdallah** décide d'installer à Mogador une nouvelle ville pour développer le commerce international. Il fait construire un port et confie à l'ingénieur français **Théodore Cornut** le soin d'établir le plan de la cité nouvelle. D'où l'originalité de cette cité, baptisée Essaouira (« la **bien dessinée** »). Le sultan tente de favoriser le peuplement de la ville mais, malgré cette politique volontariste, le développement d'Essaouira resta en deçà des espérances du souverain ; après sa mort, elle commença à décliner car elle était trop à l'écart des routes caravanières. En 1844, Essaouira fut bombardée, puis brièvement occupée par la marine française.

Aujourd'hui, la concurrence de Safi et d'Agadir a réduit l'activité du port à peu de chose, mais l'ébénisterie, soutenue par l'afflux de touristes, prospère. Essaouira est en effet devenue une **destination touristique** à part entière.

L'avenue Oqba Ibn Nafiaa (l'ancien méchouar), très large, a plutôt l'aspect d'une place, bordée d'un côté par les remparts de l'ancienne kasbah, de l'autre, par plusieurs hôtels. Ceux qui s'intéressent à la peinture ou à l'art brut ne manqueront pas de visiter la **Galerie d'art Frédéric Damgaard★** (*℘ 05 24 78 44 46 ou 06 61 20 71 21 - tlj 9h-13h, 15h-19h - entrée libre - voir p. 58*) fondée par un Danois spécialiste de l'école d'Essaouira. Cette peinture locale, en fait fort diversifiée, est connue au-delà des frontières du Maroc. L'avenue se rétrécit – elle prend alors le nom de « l'Istiqlal » – et passe sous une belle porte à trois arches. Là s'ouvrent les **souks★**, avec leurs arcades de pierre reconstruites en 1945 : à gauche, le souk aux épices, le marché aux poissons et de pittoresques boutiques d'alimentation. Sur la droite, entre le souk des bijoutiers et le marché aux herbes, la rue Mohammed el-Qory, longue, étroite et très animée, conduit jusqu'à Bab Marrakech, à côté de laquelle se trouve l'**Ensemble artisanal** (*tlj 10h-13h, 15h-18h*). Non loin de cette porte se dresse l'énorme bastion sud.

L'avenue de l'Istiqlal se poursuit sous le nom d'avenue Zerktouni jusqu'à **Bab Doukkala★**. Passé cette porte fortifiée, vous pouvez voir sur la gauche le **cimetière chrétien**, simplement indiqué par un « Pax » au-dessus de la porte. Ses tombes sont presque à l'abandon, mais une lecture attentive des inscriptions funéraires instruit sur la présence diplomatique européenne à Essaouira et sur les conditions sanitaires qui ont dû régner jusqu'à la fin du protectorat…

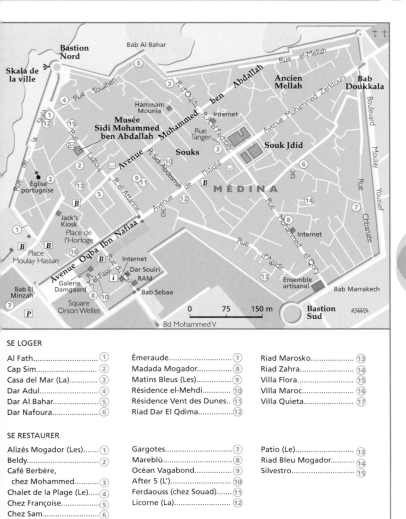

SE LOGER

Al Fath	①	Émeraude	⑦	Riad Marosko	⑬
Cap Sim	②	Madada Mogador	⑧	Riad Zahra	⑭
Casa del Mar (La)	③	Matins Bleus (Les)	⑨	Villa Flora	⑮
Dar Adul	④	Résidence el-Mehdi	⑩	Villa Maroc	⑯
Dar Al Bahar	⑤	Résidence Vent des Dunes..	⑪	Villa Quieta	⑰
Dar Nafoura	⑥	Riad Dar El Qdima	⑫		

SE RESTAURER

Alizés Mogador (Les)	①	Gargotes	⑦	Patio (Le)	⑬
Beldy	②	Mareblù	⑧	Riad Bleu Mogador	⑭
Café Berbère, chez Mohammed	③	Océan Vagabond	⑨	Silvestro	⑮
Chalet de la Plage (Le)	④	After 5 (L')	⑩		
Chez Françoise	⑤	Ferdaouss (chez Souad)	⑪		
Chez Sam	⑥	Licorne (La)	⑫		

Une ruelle de la médina.

Pour en savoir plus

Les dates clés

3000-800 av. J.-C. – Âge du bronze : gravures rupestres et inscriptions libyques (Oukaïmeden).

8ᵉ s. av. J.-C. – Les Phéniciens explorent les côtes marocaines (Lixus).

Vers 460 av. J.-C. – Hannon reconnaît les côtes de l'Afrique occidentale et fonde plusieurs comptoirs au Maroc.

25 av. J.-C.-23 ap. J.-C. – Règne de Juba II (Volubilis).

40 – Assassinat de Ptolémée. La Maurétanie devient une province romaine (Sala Colonia et Banasa).

285 – L'administration et l'armée romaine se retirent de la Maurétanie.

681 – Oqba ben Nafi atteint l'océan Atlantique.

710 – Soumission des Berbères du Maroc.

711-713 – Conquête de l'Espagne par Tarik.

740-760 – Révolte kharidjite (Sijilmassa).

788-792 – Idriss Iᵉʳ fonde la première dynastie musulmane (Fès).

803-828 – Règne d'Idriss II (Fès).

1053-1070 – Ascension des Almoravides (Marrakech).

1086 – Victoire de Zallaca sur les Espagnols.

1123 – Amorce du mouvement almohade (Tinmel).

1133-1147 – Ascension des Almohades.

1159 – Les Almohades sont maîtres de tout le Maghreb.

1195 – Victoire d'Alarcos sur les Espagnols (Rabat).

1212 – Défaite de Las Navas de Tolosa.

1248-1269 – Ascension des Mérinides.

1270-1358 – « Âge d'or » des Mérinides (Fès, Salé, Chellah).

1470-1515 – Conquêtes portugaises (El-Jadida, Safi).

1521-1554 – Ascension des Saâdiens (Agadir).

1541 – Chute d'Agadir : fin de l'expansion portugaise.

1578 – Bataille des Trois Rois.

1578-1603 – Règne d'Ahmed el-Mansour (Marrakech).

1633-1669 – Ascension des Alaouites.

1672-1727 – Règne de Moulay Ismaïl (Meknès).

1757-1790 – Règne de Mohammed ben Abdallah (Essaouira).

1769 – Mazagan est évacuée par les Portugais (El-Jadida).

1844 – Défaite d'Isly (Algérie) contre les troupes françaises.

1859-1860 – Guerre hispano-marocaine : prise de Tetouan.

1880 – Conférence de Madrid.

1907 – Débarquement des troupes françaises à Casablanca.

1912 – Traité de Fès (protectorat).

1912-1913 – Révolte d'El-Hiba dans le Sous (Tiznit).

1912-1925 – Lyautey résident général.

1921-1926 – Guerre du Rif.

1932-1934 – Fin de la conquête du Maroc par l'armée française.

1953 – Déposition et exil de Mohammed V.

1956 – Retour de Mohammed V. Indépendance du Maroc.

1961 – Mort de Mohammed V et avènement de Hassan II.

1975 – Marche verte et guerre contre le Front Polisario.

1999 – Mort de Hassan II et intronisation de Mohammed VI.

2002 – Mariage de Mohammed VI. Élections législatives.

2003 – Naissance du prince héritier. Une série d'attentats fait 41 morts à Casablanca.

2004 – Réforme du code de la famille. Le grave séisme qui frappe la région d'Al Hoceima fait 600 morts.

2005 – Libération des derniers Marocains détenus par le Front Polisario. Tentatives d'assaut de clandestins contre les enclaves espagnoles. Adoption de la loi sur les partis politiques.

2006 – Naissance de la princesse Lalla Khadija.

2007 – Élections législatives : le parti de l'Istiqlal arrive en tête ; la majorité sortante maintient son leadership.

2008 – Réforme des instances de l'islam avec la création de 69 conseils locaux des oulémas.
Sommet de l'« Union pour la Méditerranée » à Paris en présence du frère du roi Mohammed VI.

Une ville impériale

Marrakech (Makhzen), qui a donné son nom au Maroc, se construit depuis un millier d'années. Son destin suit celui des dynasties souveraines qui l'ont tour à tour magnifiée et laissée à l'abandon.

Un fondateur saharien

En 1060, des Berbères sahariens de la tribu des Sanhadja descendent dans le Haouz et s'installent à proximité de la colline du Guéliz. Contraint de repartir en Mauritanie pour assagir ses sujets belliqueux, le chef de la tribu, Abou Bekr, confie en 1062 son pouvoir et sa femme Zineb à son cousin **Youssef ben Tachfine**. Folle imprudence ! Ces deux années d'absence suffirent à Youssef pour légitimer son pouvoir et séduire la belle Zineb. À son retour, l'ancien chef ne peut que rebrousser chemin. Sous le règne de l'Almoravide, l'ancien campement de toile devient une cité prospère, enrichie par l'or et l'ivoire des caravaniers. Pour pallier les problèmes de sécheresse, des canalisations souterraines, les *khettaras*, conduisent l'eau des nappes phréatiques à la surface du sol. Les pierres roses du Guéliz servent à édifier kasbah, palais et mosquées, et la ville se dote d'une luxuriante palmeraie. Marrakech devient la capitale d'un vaste empire s'étendant de l'océan à Alger, et de l'Èbre à Tafilalt.

La gloire almohade

Après la mort de l'Almoravide Ali ben Youssef, en 1143, s'ensuit une période de déclin dont profitent les Berbères almohades pour, en 1147, s'emparer de Marrakech. Dès le début de son règne, **Abd el-Moumen** ordonne la destruction de nombreux monuments de la ville. Sur les décombres du palais almoravide, il élève la première Koutoubia. On lui doit aussi les jardins de l'Agdal et de la Ménara. Ancien gouverneur de Séville, le fils d'Abd el-Moumen, Youssef, transforme Marrakech en un foyer culturel de la civilisation arabo-andalouse où se fréquentent les plus grands savants et hommes de lettres, dont le célèbre Averroès. Le troisième souverain, **Yacoub el-Mansour**, « le Victorieux », marque l'apogée du règne almohade. Il achève la Koutoubia et la Giralda de Séville, entamée par Youssef, et bâtit à Rabat la plus grande mosquée de l'Occident, dont il ne subsistera que le minaret (la tour Hassan). Son armée contrôle l'Afrique du Nord jusqu'à Tripoli.

L'éclatement de l'empire

Après la mort de Yacoub el-Mansour, en 1199, la ville entre dans une période agitée qu'enveniment les aspirations au pouvoir et les sombres complots. C'est dans ce climat d'insécurité que les **Mérinides** et leur chef, **Abou Youssef**

Yacoub, s'emparent du pouvoir en 1269. Pour la première fois, Marrakech perd son statut de capitale au profit de Fès. La nouvelle piste saharienne Fès-Gao l'empêche momentanément d'accéder à l'or africain, et les guerres menées contre le Portugal et l'Espagne après la chute du royaume de Grenade sèment un regain de religiosité renforcé par les discordes entre marabouts.

La renaissance saâdienne

Descendants des Chorfas du Souss et, de ce fait, du prophète Mahomet, les conquérants du bonheur *(saâd)* remontent de la vallée du Drâa pour s'emparer de Marrakech en 1524 et lui rendre, à juste titre, son rang de capitale du Maroc. Sous le règne des Saâdiens, la ville perd sa relative tranquillité. Meurtres et massacres inaugurent ce volet de l'histoire marqué par la « bataille des Trois Rois », qui débute les Portugais du territoire occupé. Surnommé el-Dehbi (« le Doré »), en raison de son immense richesse, **Ahmed el-Mansour** est l'auteur du palais d'el-Badi, des tombeaux saâdiens et de nombreuses mosquées, fontaines et *medersa*.

Les Alaouites

L'unité du royaume, qui s'effrite après la mort d'Ahmed « le Doré », se reconstitue au 17e s. avec l'arrivée des Alaouites, descendants d'Ali, le gendre du Prophète, et de sa fille Fatima. Sous leur règne, Marrakech est détrônée par Meknès, qui lui vole, en plus de son titre de capitale du royaume, les luxueux matériaux du palais d'el-Badi. La ville ne reviendra à l'honneur que sous Mohammed III et Moulay Hassan : le premier en fait sa capitale, le second y est couronné sultan en 1873. Le **protectorat français** continue de l'ignorer au profit de Rabat jusqu'à ce qu'un scandale historique y éclate : de connivence avec la France, le pacha glaoui de Marrakech participe à l'exil du roi Mohammed V, dont il implorera le pardon à son retour en 1955.

ⓒ *Pour l'histoire contemporaine, voir p. 98.*

97

La monarchie

Après la proclamation de son indépendance en 1956, le Maroc est, depuis 1962, une monarchie constitutionnelle. Aujourd'hui, le royaume se dirige vers une modernisation et une démocratisation de son régime.

Mohammed V

Après la Seconde Guerre mondiale, l'agitation ne fait que croître au Maroc et le gouvernement français finit par rappeler Mohammed ben Youssef (alors exilé depuis 1953), qui fait un retour triomphal en novembre 1955. Le 2 mars 1956, la convention proclamant l'**indépendance** du Maroc est signée. Désormais **roi** et non plus sultan (à partir de 1957), **Mohammed V** conduit assez habilement son pays dans les premières années de l'indépendance et sait lui éviter les troubles dont sa voisine, l'Algérie, n'est toujours pas sortie. Il maintient des relations privilégiées avec la France et se garde bien de faire table rase des apports de la période coloniale ;

il évite en particulier l'exode du demi-million d'Européens et la fuite des capitaux étrangers, tous deux essentiels au développement du pays.

Dans le domaine des institutions, c'est lui qui lança le processus visant à doter le royaume d'une **Constitution**. Mais celle-ci – la première d'une longue série – ne fut adoptée qu'après sa mort, avec le référendum du **7 décembre 1962**.

Hassan II

Mort le 26 février 1961 au cours d'une banale intervention chirurgicale, Mohammed V est remplacé par son fils Hassan II. Bien vite, celui-ci concentre entre ses mains la totalité des pouvoirs politiques. Cela lui vaut l'hostilité des forces de gauche : l'Istiqlal et surtout l'Union nationale des forces populaires (UNFP) de Mehdi ben Barka. De 1963 (guerre du Figuig) à 1975, complots, attentats, émeutes urbaines et jacqueries se succèdent, suivies de

La monarchie sacralisée

Le roi est le **Commandeur des croyants**, titre qui légitime sa fonction de monarque. Il est le descendant d'Ali, gendre du Prophète, d'où le nom d'**Alaouite** donné à la dernière dynastie. Le pouvoir monarchique n'est attribué qu'aux descendants directs du Prophète *(chorfa)*. Bien que l'islam proclame l'égalité de tous les musulmans devant Dieu, le titre de **chérif** est une source de bénédiction *(baraka)*. Ce don divin introduit une relation d'allégeance entre le peuple marocain et son roi.

répressions sanglantes contre, entre autres, Mehdi ben Barka en 1965. En 1975, Hassan II trouve l'occasion de détourner le mécontentement général en organisant la **Marche verte**, qui lui permet de s'emparer facilement du Sahara occidental, vaste territoire riche en phosphates auquel l'Espagne s'apprêtait à accorder l'indépendance. Mais la guérilla du Front Polisario, activement soutenue par l'Algérie, mène la vie dure aux Forces armées royales (Far), jusqu'à l'édification d'un « mur ». La guerre puis la campagne de « marocanisation » sont ruineuses pour le pays. Malgré cela, Hassan II jouit sur la scène internationale d'un prestige sans commune mesure avec la puissance réelle du Maroc, cela grâce à son habileté politique et à des positions modérées sur la question israélienne.

Sur le plan intérieur, le régime amorce une timide libéralisation dans les années 1990 : création d'une Chambre basse entièrement élue au suffrage universel, élections à peu près libres en 1997, gouvernement d'« alternance » en 1998.

Mohammed VI

Le 23 juillet 1999, miné par la maladie, Hassan II meurt à Rabat. Son fils aîné lui succède sous le nom de **Mohammed VI**. À 36 ans, le prince héritier est quasiment un inconnu pour les Marocains et une énigme pour les observateurs politiques. D'emblée, le nouveau roi sait se forger une réputation de monarque moderne et libéral grâce à quelques décisions spectaculaires comme l'autorisation de retour d'exil d'Abraham Serfaty, la création d'une commission en charge

d'indemniser les anciens prisonniers politiques et, surtout, le **limogeage de Driss Basri**, tout-puissant ministre de l'Intérieur d'Hassan II pendant trente ans. Ces gestes lui valent la sympathie de la population marocaine et des nations européennes. Plusieurs symboles témoignent de la volonté de **démocratisation** du royaume : son mariage avec Salma Bennani une « fille du peuple », en 2002, la tenue des **premières élections législatives transparentes** le 27 septembre 2002 et l'adoption du **nouveau code de la famille**. Abandonnée en 2000 après une démonstration de force des islamistes, cette nouvelle loi qui révolutionne le statut des femmes entre finalement en vigueur en février 2004. Désormais affranchies de la tutelle masculine, elles disposent des mêmes droits que les hommes en matière de mariage, d'éducation des enfants, de divorce, et peuvent interdire la polygamie à leur mari. Mais le roi doit faire face à ses premières difficultés. La situation économique et sociale reste tendue. Le 16 mai 2003, le pays est frappé par une série d'attentats à Casablanca liés à l'islam politique radical. Durant la campagne pour les **élections législatives de septembre 2007**, la question omniprésente de la **montée de l'islamisme** fait couler beaucoup d'encre : le **PJD** (Parti pour la justice et le développement) ambitionne de devenir la première force politique du pays. Mais le raz de marée islamiste n'aura pas lieu, le PJD n'arrivant qu'en seconde position après **l'Istiqlal**, grand vainqueur de ce scrutin.

L'islam

Islam signifie « élan vers Dieu ». Dieu est unique : « Il n'y a de Dieu qu'Allah, et Mahomet est son prophète », dit la profession de foi musulmane. L'islam marocain est **sunnite** de rite *malékite* (fondé par l'imam Malik). L'école des *malékites* enseigne une lecture du Coran moins dogmatique et moins littérale que celle des autres tendances ; elle accepte que l'on modifie les traditions dès lors que celles-ci s'opposent au bien commun. Au Maroc, l'islam est une **religion d'État** et le roi Mohammed VI, descendant du Prophète, est le Commandeur des croyants (*Amir al-Mouminine*). Les Marocains, presque tous musulmans, sont fortement unis par le sentiment d'appartenance à la communauté des croyants, l'**Umma**.

Les cinq piliers

Cinq obligations majeures constituent les piliers de l'islam :
Représentant l'adhésion à l'islam, la **profession de foi** (*chahada*) est l'obligation canonique la plus importante. Elle atteste « qu'il n'est de divinité que Dieu » et que « Mahomet est l'envoyé de Dieu ». Celui qui prononce ces mots s'engage définitivement à être musulman et à appartenir à la communauté des croyants (*Umma*) ;
Tourné vers La Mecque, le croyant effectue sa **prière** (*salât*) cinq fois par jour : au lever du soleil, à midi, vers 16h, au coucher du soleil et deux heures plus tard.

Année de l'hégire	1431	1432	1433	1434
1er Moharram	18 déc. 2009	7 déc. 2010	27 nov. 2011	16 nov. 2012
Achoura	27 déc. 2009	17 déc. 2010	6 déc.2011	24 nov. 2012
Mouloud	26 fév. 2010	15 fév. 2011	5 fév. 2012	25 janv. 2013
Début du ramadan	11 août 2010	1er août 2011	20 juil. 2012	9 juil. 2013
Aïd al-Fitr	10 sept. 2010	30 août 2011	19 août 2012	8 août 2013
Aïd el-Kébir	17 nov. 2010	7 nov. 2011	26 oct. 2012	15 oct. 2013

Calendrier des fêtes musulmanes (*les dates peuvent varier d'un jour ou deux*)

Le **ramadan** a lieu le neuvième mois de l'année lunaire. Les musulmans – à partir de la puberté – jeûnent de l'aube au coucher du soleil, exception faite pour les malades, les femmes enceintes, et ceux qui effectuent un long voyage. Autre dérogation : les femmes ne doivent pas jeûner pendant le temps de leurs règles, mais sont contraintes en revanche de « rattraper » le nombre de jours de jeûne plus tard. Le jeûne porte sur la nourriture, la boisson, le tabac et les relations sexuelles. Le soir, familles et amis se retrouvent autour d'une multitude de plats, dans une atmosphère de détente et de gaieté. La nuit du 27e jour, appelée « **Nuit de la destinée** », commémore la révélation de la première sourate au prophète Mahomet. On prie beaucoup cette nuit-là. Le ramadan se termine par la grande fête de l'**Aïd al-Fitr**.

Le croyant doit faire preuve de générosité, notamment en dispensant l'**aumône légale** *(zakat)*, contribution en nature ou en argent destinée à financer des œuvres de bienfaisance.

Tout fidèle doit effectuer un **pèlerinage à La Mecque** *(hadj)* au moins une fois dans sa vie, à condition d'en avoir les moyens. Il permet la rémission de tous les péchés. Il est ponctué de nombreuses prières et de rituels, dont le plus important consiste à faire sept fois le tour de la **Ka'ba**, sanctuaire de forme cubique situé dans la cour de la mosquée et renfermant la Pierre noire remise à Abraham par l'archange Gabriel. Tout musulman qui a réalisé ce pèlerinage se voit honoré du titre de *hadj*, qui précède dès lors son nom.

Par ailleurs, l'islam stipule un certain nombre d'**interdits** : il proscrit les boissons alcoolisées, la viande de porc et les viandes non saignées. Quoique pratiqués, les jeux de hasard et l'usure sont également condamnés.

Les grandes dates de la vie religieuse

La vie civile est régie par le calendrier grégorien, mais la vie religieuse suit le calendrier musulman. Celui-ci est calculé selon les 12 mois de l'année lunaire. Chaque mois commence avec la nouvelle lune et fait alternativement 29 ou 30 jours. Une **année lunaire** ne compte que 355 jours et avance donc d'une dizaine de jours sur l'année solaire. L'an 1 de l'hégire a débuté le 16 juillet 622.

Le 1er Moharram est le nouvel an du calendrier musulman.

L'**Achoura** est célébrée le 10e jour du mois de Moharram, en souvenir de l'assassinat de Hussein, petit-fils du Prophète.

Le **Mouloud** correspond à l'anniversaire du Prophète.

L'**Aïd al-Fitr** (ou Aïd es-Seghir), la rupture du jeûne, a lieu le premier Chaoual, qui correspond au lendemain du dernier jour du ramadan.

L'**Aïd al-Kébir**, la « Grande Fête », commémore l'épisode du sacrifice relaté dans le Coran et la Bible selon lequel Isaac, fils d'Abraham, échappe à l'immolation grâce à un bélier qui lui est substitué. En célébration de cet acte, la communauté musulmane a institué une fête dite « du Mouton » (le 10 du mois de Dhû al-hijja), au cours de laquelle un animal est sacrifié dans chaque famille.

101

Art et architecture islamiques

Malgré les vicissitudes de son histoire, le Maroc est, de tous les pays du Maghreb, celui qui a conservé le patrimoine artistique le plus riche, du moins en ce qui concerne la période islamique. Enrichi par l'apport culturel de l'Andalousie musulmane, bien plus que par celui de l'Orient, le Maroc a été pendant près de six siècles (11e-17e s.) le foyer principal de l'architecture hispano-mauresque, l'un des grands mouvements de l'art islamique.

Les monuments religieux

Ces édifices frappent par la simplicité de leur architecture, de leurs volumes et la richesse de la décoration (stucs, bois sculpté, zelliges), qui cache souvent la pauvreté des matériaux utilisés. Dès les débuts de l'islam, les premiers croyants ressentirent le besoin d'un lieu où réunir la communauté pour prier : ce fut la **mosquée**, dont le plan de base n'a pas changé depuis les origines. Elle est toujours orientée vers La Mecque et cette direction est donnée par le **mihrab**, une niche située au milieu du mur dit « de **qibla** ». À côté se trouve le **minbar**, attribut de l'autorité spirituelle et du pouvoir théocratique, en bois ou en marbre. Le **minaret** se présente au Maroc comme une tour carrée qui se termine par une plate-forme crénelée d'où le muezzin lance son appel à la prière cinq fois par jour. Les minarets marocains s'ornent selon les époques d'une décoration composée de baies géminées, d'arcs ou d'arcatures aveugles, d'entrelacs ou de zelliges.

La **medersa** est une école de théologie (à ne pas confondre avec les écoles coraniques) où l'on dispense un enseignement de haut niveau, ce qui lui a valu le qualificatif d'« université islamique ». Cette fonction a donné lieu à une forme architecturale spécifique. Se détachant sur la nudité d'une façade aveugle, une porte à la décoration élaborée surmontée d'un auvent donne accès à une étroite cour centrale entourée par les salles de cours et la salle de prière. Les étages sont occupés par des cellules exiguës, où logeaient maîtres et étudiants, prenant jour sur la cour. Dans celle-ci se concentre l'essentiel de la décoration raffinée de la *medersa* : bassin central, sol en zelliges, impostes en stuc finement sculpté, corbeaux et corniches taillés dans du cèdre.

La **koubba**, plus connue sous le nom de **marabout**, est un mausolée pour de pieux musulmans morts en odeur de sainteté. Reconnaissables à leur coupole blanche – à l'origine, *koubba* signifie « coupole » –, ces petits bâtiments cubiques se retrouvent dans toute la campagne marocaine et font l'objet de pèlerinages souvent teintés de superstition. À côté des marabouts, on peut souvent observer un arbre couvert de bouts de tissu correspondant chacun à un vœu qui devrait être exaucé par le saint.

L'architecture civile

L'architecture civile se traduit d'abord dans les **remparts** qui entourent la médina, la plupart du temps construits en pisé. Ces murailles sont percées de **portes monumentales** qui comptent parmi les plus belles expressions de l'architecture marocaine. En pierre de taille, elles sont encadrées de bastions couronnés de merlons et souvent très ornées. Dans les médinas, de véritables **palais**, suites de jardins intérieurs (**riad** *voir p. 109*), d'habitations, de cours d'apparat (**méchouar**), de corps administratifs, de hammams, d'écuries, d'entrepôts, sont entourés de vastes espaces (**aguedal**) où alternent vergers et bassins.

Les **fondouks**, caravansérails urbains, faisaient à la fois office d'hôtelleries et d'entrepôts de marchandises. Leur architecture s'apparente à celle des *medersa*, avec une cour centrale entourée sur plusieurs étages par des petites pièces où logeaient les marchands et leurs biens les plus précieux, tandis que les montures et les marchandises restaient au rez-de-chaussée ou dans les caves. Les fondouks étaient généralement des biens dits « habous », appartenant à des fondations pieuses, dont les loyers servaient à entretenir les *medersa* et leurs étudiants.

Le décor

L'abondance de la décoration dissimule souvent la pauvreté du matériau. Le décor, d'abord présent à l'extérieur des édifices, a fini par envahir les surfaces intérieures. Son évolution est due pour l'essentiel à l'apparition du **stuc** et à l'abandon de la mosaïque traditionnelle au profit de la **céramique** au 12e s. et à l'importance prise par la **terre émaillée** et le **bois sculpté** au 14e s. Il allie la souple exubérance de l'art arabe à la netteté rigide des lignes berbères.

Éléments géométriques

La figure de base est le **polygone**. Au 18e s., octogones, triangles, losanges et étoiles se côtoient et se superposent dans des compositions complexes, ornant les panneaux de bois peint ou les revêtements de **céramique**.

Les **entrelacs**, typiquement arabes, utilisent la ligne droite, les festons et les lobes, en un treillis de baguettes ou de galons s'entrecroisant à l'infini ; leurs réseaux losangés constituent, aux 12e et 13e s., l'une des plus belles parures des minarets.

L'**arabesque**, figure fondée sur les sinuosités de la ligne, se déploie dans les décors floraux, formant la tige dont elle représente une extrême stylisation.

Les **stalactites**, formées d'une série de petits prismes savamment assemblés et disposés en encorbellement, tapissent les coupoles, les pendentifs, les arcs, les chapiteaux, les linteaux, les consoles.

Éléments floraux

L'art hispano-mauresque utilise avec une extraordinaire profusion les éléments floraux stylisés, dont il tapisse les écoinçons des arcs, les frises, et des panneaux qui finissent par s'étendre aux dimensions mêmes des murs.

La **palme** – motif le plus employé –, née d'une sorte de calice, s'allonge en une feuille recourbée ou se divise en deux lobes.

La **palmette** grecque, qui bien souvent

103

L'ARCHITECTURE

LA MOSQUÉE MAGHRÉBINE

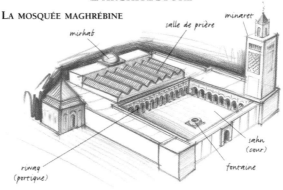

mirhab

salle de prière

minaret

rivaq
(portique)

sahn
(cour)

fontaine

104

MOUKARNAS « STALACTITES »

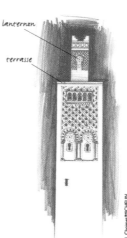

lanternon

terrasse

MINARET ALMOHADE

LE MIHRAB

LE MINBAR
(CHAIRE)

H. Choimet/MICHELIN

ISLAMIQUE

LA PORTE MONUMENTALE

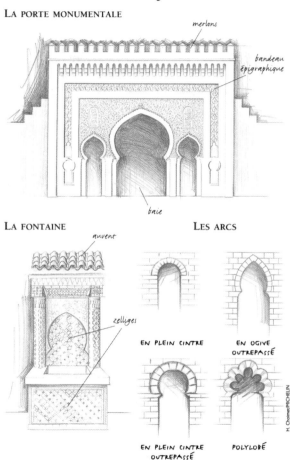

merlons

bandeau
épigraphique

baie

LA FONTAINE

auvent

zelliges

LES ARCS

EN PLEIN CINTRE

EN OGIVE
OUTREPASSÉ

EN PLEIN CINTRE
OUTREPASSÉ

POLYLOBÉ

H. Charmet/MICHELIN

105

se détache sur les écoinçons des arcs, affecte la forme d'une coquille.

La **pomme de pin** est fréquemment utilisée aux 13e et 14e s.

Ce décor végétal se développe peu à peu en réseaux touffus, se mêle aux compositions géométriques, et comble les vides laissés par le dessin.

Éléments épigraphiques

L'écriture arabe fournit à la décoration musulmane l'un de ses éléments les plus esthétiques et les plus originaux.

L'**écriture coufique** se caractérise par ses hampes verticales, l'épaisseur uniforme de ses lettres, ses angles droits.

D'abord employées exclusivement pour la valeur édifiante du texte, ces inscriptions ont – dès le 11e s. – perdu de leur sobriété originelle ; les caractères s'embellissent d'éléments végétaux ; les hampes se compliquent de nœuds.

Le **cursif** vient, vers le milieu du 12e s., concurrencer le coufique, qu'il supplante à partir du 16e s., sous les Saâdiens. Il est caractérisé par la souplesse et la finesse de ses lettres, dessinées en pleins et déliés.

Les supports de la décoration

Dès les débuts de l'art hispano-mauresque, la plupart des éléments de la décoration apparaissent dans la **pierre** sculptée des grandes portes. En ce qui concerne la confection des entrelacs qui ornent les minarets, on tire de la **brique** le meilleur parti.

La **mosaïque de terre émaillée**, importée d'Orient, apporte le chatoiement de sa polychromie dans les minarets almohades. Elle devient, à partir du 14e s., l'un des matériaux essentiels du décor. Ces mosaïques sont exécutées selon deux techniques.

Les **zelliges** sont constitués de petits fragments de céramique de diverses couleurs découpés dans des plaques de ton uni, puis juxtaposés pour former des figures décoratives, et fixés avec du mortier ; on les rencontre surtout dans les compositions géométriques.

La **céramique excisée ou champlevée** est employée dans la décoration épigraphique : sur une plaque sombre, le motif est mis en valeur par grattage, puis masticage de la surface qui l'entoure.

Dans le **stuc**, importé de Mésopotamie, le plâtre est appliqué sur des surfaces hérissées de clous. Encore frais, il est sculpté à la gouge ou au ciseau.

Le **bois** aussi entre dans la confection des stalactites. Le cèdre, imputrescible, sculpté avec raffinement et, à partir du 13e s., rehaussé de peinture, recouvre les parties hautes des murs ; il constitue les corniches, les auvents, les plafonds.

Lexique d'architecture

Agadir (berbère) – Grenier collectif fortifié dans le Sud. Dans certaines régions, on utilise le terme *irherm*.

Bab – Porte d'une ville.

Borj – Tour, bastion, fortin.

Chemacha – Claustra, souvent en plâtre.

Dar – Maison. Par extension, lieu où s'exerce une activité particulière (ex. : *dar dbagh*, les tanneries ; *dar el-Makhzen*, anciennement la préfecture).

Derbouz – Grille en bois qui sert de balustrade ou de moucharabieh.

Fondouk – Caravansérail urbain servant à la fois d'entrepôt et d'hôtellerie.

Hammam – Bains publics.

Kasbah – Citadelle d'une ville. Dans le Sud, habitation fortifiée isolée appartenant à une famille. Les Berbères utilisent le terme *tigremt*.

Kissaria – Dans un souk urbain, ensemble de boutiques disposées autour d'une cour et consacrées à un seul type de commerce ou d'artisanat.

Koubba – Coupole, dôme. Par extension, tombeau d'un saint, ou marabout (ils sont souvent couverts d'une coupole).

Ksar (pl. **ksour**) – Château ou palais fortifié. Dans le Sud, village fortifié.

Marabout – Saint homme. Par extension, son tombeau.

Medersa – École de théologie. Au Maroc, elles comportent une cour étroite autour de laquelle sont disposées les cellules des maîtres et des étudiants.

Médina – Ville. La ville ancienne par opposition à la ville moderne.

Mellah – Quartier juif dans la ville traditionnelle. En général, il n'est pas isolé du reste de la médina par une muraille.

Mihrab – Niche dans un mur de *qibla*. Dans les mosquées les plus modestes, c'est souvent la seule partie qui bénéficie d'une décoration.

Minaret – Tour d'où le muezzin lance l'appel à la prière *(ouden)*.

Minbar – Chaire en pierre ou en bois d'où l'imam prononce le prêche du vendredi *(khutba)*.

Mosquée – Édifice réservé à la prière. On distingue les *jami*, mosquées du vendredi, des *masdjid*, simples oratoires. C'est dans les premières que l'imam prononce la *khutba*.

Moucharabieh – Grilles ornementales en bois placées devant les fenêtres.

Moukarnas – Alvéoles décorant des niches, des voûtes ou des coupoles. La base de ces alvéoles s'étire en formant des sortes de stalactites.

M'sallah – Lieu de prière en plein air dont l'architecture est réduite au strict minimum : un mur de *qibla*, dont la hauteur ne dépasse pas un mètre, avec la marque du mihrab et quelques marches pour le minbar.

Qibla – Direction de la Ka'ba. À la mosquée, les fidèles font la prière face au mur de *qibla*, qui est perpendiculaire à la direction de La Mecque.

Rhettara – Canalisation souterraine pour le transport de l'eau d'irrigation.

Riad – Patio ou jardin clos attenant à une maison particulière.

Ribat – Couvent fortifié.

Sahn – Cour d'une mosquée ou d'une *medersa*.

Souk – Marché. Il s'agit soit d'un marché hebdomadaire en plein air, soit d'un quartier de la médina entièrement consacré au commerce.

Tataoui (berbère) – Plafond en caissons réalisé avec des roseaux ou des branches de laurier-rose disposés en losange.

Tedlakt (berbère) – Enduit mural très lisse formé d'un mélange de chaux, de pierre finement broyée, de pigments colorés et de savon noir.

Tirhremt (berbère) – Voir kasbah.

Zaouïa – Confrérie religieuse. Par extension, bâtiments autour du tombeau d'un saint abritant la confrérie.

Zelliges – Marqueterie de faïences polychromes réalisée à l'aide de fragments découpés dans des carreaux de céramique de couleurs vives.

Médina et ville nouvelle

De nos jours, Marrakech, comme la plupart des villes du Maroc, compte deux parties distinctes : la **médina** et la **ville nouvelle** (quartier moderne).

La médina

La **médina** se serre autour de ses mosquées, ou de ses *medersa*, du marché, du hammam, des fontaines. Elle se cloisonne en quartiers selon la fortune, l'activité, l'origine de ses habitants. La visite d'une médina offre un spectacle étonnant. Devant soi, un **enchevêtrement de venelles** étroites, tortueuses, voûtées, tour à tour désertes ou animées, dans lesquelles on hésite parfois à s'engager de peur de s'y perdre ; des places que sillonnent en agitant leur clochette les porteurs d'eau, où le conteur public voisine avec l'arracheur de dents, et où le sol constitue souvent le plus rudimentaire des étals.

Dans les médinas, les maisons sont adossées les unes aux autres et leurs terrasses communiquent en un seul espace, recouvrant même parfois les ruelles. Parties intégrantes de la vie des femmes et des enfants, à la fois protégées et ouvertes sur la ville, ces **terrasses imbriquées** sont ces lieux animés où bon nombre de gestes quotidiens s'accomplissent. Elles sont notamment utilisées comme cuisines lorsque certaines nourritures nécessitent un feu de bois, ou qu'il s'agit de préparer le mouton de l'Aïd après l'avoir égorgé.

La conception de la médina, harmonieuse et ordonnée, héritage de la première communauté musulmane fondée à Médine par le prophète Mahomet, reflète l'idée selon laquelle tous les croyants participent à l'équilibre de la société. C'est là que vous découvrirez **l'art de vivre traditionnel**. La vie familiale se déroule derrière les hauts murs qui bordent un dédale de ruelles étroites, tandis que la vie sociale a pour cadre la rue, le **hammam** et le **marché**. Au cœur des quartiers, la **mosquée** demeure le symbole de l'omniprésence du sacré dans la vie quotidienne.

La ville nouvelle

Le 20e s. a donné naissance à un autre type de villes, élevées à l'écart des médinas, où, le long de **larges avenues** à angle droit, les bâtiments officiels, souvent de style néomauresque, alternent avec des maisons de commerce et des banques. Tout oppose cette ville nouvelle à la médina traditionnelle. Les ruelles enchevetrées des médinas font place à de grandes artères traçant un damier géométrique. Certaines villes modernes sont d'incontestables réussites, comme celles situées dans le quartier du **Guéliz** à Marrakech, conçue par l'architecte et urbaniste français **Henri Prost.**

Cependant, dans ces villes qui continuent à subir de profondes transformations, des conditions nouvelles d'existence, liées tant à l'urbanisme qu'aux activités modernes, se substituent aux modes de vie traditionnels.

Le riad

Les riads connaissent depuis quelques années une fortune inattendue. À Marrakech, on ne compte plus le nombre de demeures de la médina, restaurées et aménagées, qui ont été transformées en maisons d'hôte, le plus souvent par des propriétaires européens.

Une demeure de charme

Un riad est une maison assortie d'un **jardin**, ou bien dont le **patio** est arboré. On en trouve dans toute la médina. La plupart de ces demeures, insoupçonnables de l'extérieur, ont été construites dans la seconde moitié du 19e s., par de riches familles qui avaient acheté les parcelles jardinées existant entre les murailles et l'espace bâti de la médina, créant, en périphérie du centre, des quartiers à caractère aristocratique. Leur volume au sol est souvent moins contraint, et on y découvre, parfois, l'influence des modèles occidentaux.

Un vif succès à Marrakech et à Essaouira

Le succès de ce type d'hébergement est tel qu'à Marrakech, les autorités touristiques marocaines s'en émeuvent et tâchent de maîtriser le phénomène, en tentant de lui imposer certaines règles de professionnalisme, ainsi qu'un respect de l'architecture traditionnelle. Selon les sources, on compterait **entre 200 et 800 riads**, plus ou moins déclarés, dans la médina de **Marrakech**,

et l'affaire est assez fructueuse pour que des agences immobilières se soient spécialisées dans la recherche de riads à restaurer. Certains d'entre eux se révèlent être de véritables palais disposés autour de vastes jardins, absolument insoupçonnables pour le passant.

Le phénomène a désormais gagné **Essaouira**, où les riads se mettent également à proliférer dans des demeures abandonnées par leurs habitants d'origine. Plus hauts que les riads marrakchis, et très souvent plus humides, ceux d'Essaouira disposent de terrasses d'où l'on aperçoit parfois la mer.

Au-delà de l'aspect parfois un peu déplaisant de cette « colonisation » des médinas au détriment de leurs habitants, reste que le séjour dans un riad, certes toujours cher (à des degrés divers), présente pour le voyageur plus d'un intérêt : celui d'habiter dans une demeure de charme, et celui de vivre au quotidien dans ces quartiers populaires où l'on touche au plus près la réalité urbaine du Maroc. Reste enfin la sauvegarde de ces maisons, que l'initiative privée, fût-elle motivée par l'esprit de lucre, sauve d'une dégradation irrémédiable.

Dans un riad, on peut louer une chambre, une suite, voire toute la maison, solution qui, si l'on voyage avec un groupe d'amis, peut se révéler (relativement) économique.

109

Histoire d'eau

Présente dans la cour des mosquées comme dans celle des *medersa*, dans les riads et les hammam, et même dans les rues (auprès des pittoresques porteurs à Marrakech), l'eau joue un rôle essentiel dans la vie quotidienne des Marocains. Riche en eaux, le Maroc est cependant soumis à des sécheresses parfois dramatiques. Souvent bénéfique, parfois destructrice, l'eau est l'objet de toutes les attentions.

Les fontaines marocaines

Dans les villes, et plus particulièrement les médinas, elles sont partout. Monumentales ou minuscules, somptueusement décorées d'arcs à stalactites et de zelliges (comme celle de **Sidi bel Abbès** à Marrakech, *voir p. 81*), revêtues de **mosaïques** où domine parfois le bleu, parfois le vert, coiffées d'un auvent de tuiles vernissées, ornées de colonnes et d'arcs outrepassés, en plein cintre ou brisés, récemment restaurées ou tristement décrépites, situées sur des places, au détour des rues, au fond des souks, à la porte des mosquées, elles sont innombrables, identiques, dirait-on, et pourtant toujours différentes.
Points d'eau, les fontaines sont aussi, et surtout, des points de rencontre.

Les riads

Lors de votre découverte de Marrakech et d'Essaouira, vous découvrirez de superbes riads, ces jardins intérieurs à la végétation exubérante. Ici, l'eau est partout : jaillissant de vasques en un ruissellement cristallin, courant le long de rigoles, étale dans des bassins. Nourricière des arbres (palmiers, orangers, citronniers…), arbustes (lauriers-roses, bougainvillées) et fleurs, élément de décoration de l'espace domestique où intérieur et extérieur s'interpénètrent, elle fait entendre discrètement mais de façon continue son chant, qui, se mêlant à celui des oiseaux, compose une délicate sonate, indissociable de l'art de vivre marocain.

Le hammam

Héritage des bains romains, le hammam a été introduit dans la civilisation maghrébine par les Omeyades venus de Syrie. Il est habituellement réservé aux femmes pendant la journée et aux hommes le soir mais, dans les grandes villes, le hammam des hommes jouxte souvent celui des femmes.
Le hammam est agencé selon une succession de salles. La première est un vestiaire *(el-guelsa)* ; puis viennent trois pièces principales : une froide *(bayt el-bared)*, une tiède *(bayt el-wastani)* et une chaude *(bayt-eskhoun)*, pour la sudation. Un rituel ancestral accompagne ce moment de **détente** et de **purification** : on commence par se rincer d'eau tiède, tirée de seaux que l'on a eu le soin de remplir, en mélangeant soi-même eau chaude et

110

froide. Puis on s'enduit de savon noir, avant de se frotter le corps tout entier à l'aide d'un gant de crin. Les pores ouverts par la vapeur chaude libèrent alors toute la saleté accumulée au quotidien. Il est d'usage de s'entraider entre femmes pour le gommage du dos. À moins que l'on ne demande à une gardienne du hammam de le faire à sa place. Les cheveux font aussi l'objet d'un long démêlage, d'un soin au ghassoul, etc. Du côté des hommes, le gommage est souvent suivi d'un massage énergique. En général, les Marocains vont au hammam une fois par semaine. Outre ses **vertus hygiéniques**, le hammam constitue aussi un **espace social** important de la vie quotidienne : on y discute, on s'y confie, on y apprend les nouvelles du quartier…

Une sécheresse menaçante

Comme la plupart des pays méditerranéens, le Maroc souffre souvent de la sécheresse (c'est le cas depuis 1999), qui fait sentir ses effets tant sur le plan de l'approvisionnement en eau des villes et des villages que sur le plan de l'agriculture…
« Gouverner, c'est pleuvoir ! » : cette boutade de Lyautey pourrait être reprise par les gouvernants d'aujourd'hui alors que le Maroc est confronté depuis plusieurs années à une sécheresse persistante. Elle met en exergue l'un des principaux obstacles au développement du pays. Les **lacs de barrage** sont presque asséchés et les cultures sont abandonnées faute d'**irrigation**. Génie bienfaisant lorsqu'elle fait sortir de terre des oasis paradisiaques,

l'eau peut être aussi, lors de graves intempéries entraînant la crue des oueds et les **inondations**, source de pertes humaines et de dégâts matériels importants.

Irrigation des palmeraies

Drainant vers les oasis l'eau des sources et des nappes phréatiques, les *rhettaras* sont des **canaux souterrains** dont le parcours est jalonné, tous les 10 m environ, de puits, qui permettent leur aération et leur entretien. En aval, des **bassins d'accumulation** donnent naissance à tout un réseau de *séguias* (**rigoles** à ciel ouvert) qui distribuent l'eau vers les champs et les jardins.
Cet ingénieux système fut créé au 11ᵉ s. par un Arabe d'Orient, **Abdellah Ibn Youness**, à qui Youssef ben Tachfine avait fait appel pour alimenter en eau le site de Marrakech, où il avait établi son camp. Si ce système d'irrigation reste d'un intérêt primordial, l'urbanisation croissante et la diversification des techniques entraînent l'abandon progressif de ces ouvrages, au grand dam des historiens, pour qui cette « science hydraulique » vieille de neuf siècles fait partie du patrimoine national. De nos jours, l'État s'efforce d'étendre les surfaces irriguées et d'atténuer les effets dévastateurs des inondations en construisant de nombreux barrages. Dans la **palmeraie de Marrakech** *(voir p. 85)*, le système traditionnel des *rhettaras,* qui permettait d'irriguer les 14 000 hectares de végétation, ne fonctionne quasiment plus. La sécheresse menace donc ce lieu unique.

Artisanat

L'artisanat marocain attire les Occidentaux par sa variété et son raffinement. Des poteries à la maroquinerie, de la dinanderie aux tapis, les œuvres sont conçues selon des techniques ancestrales, différentes selon les régions et les villages. Elles sont soit d'influence berbère (motifs géométriques), soit d'influence arabe (motifs floraux et arabesques).
☝ « Shopping », p. 53.

Les bijoux

Relevant de techniques séculaires, la fabrication du bijou a longtemps été l'apanage des artisans juifs, concentrés dans les quartiers traditionnels *(mellah)*. Créé et offert par l'homme, il n'est destiné qu'à la femme. Qu'elles soient citadines ou rurales, les Marocaines aiment les bijoux massifs et ouvragés. La majorité des **bijoux ruraux** sont en **argent**. Ils peuvent être incrustés de pierreries ou d'émaux (dont le nielle, ou émail noir) et rehaussés de corail, de pièces de monnaie, de corne ou d'ambre. On trouve des boucles d'oreilles – dont de grands anneaux reliés par une chaîne –, des bracelets, des bagues, des anneaux de cheville, des fibules (broches pour attacher les drapés) et des diadèmes *(taj)*. Il existe deux techniques de fabrication : le métal, une fois chauffé, est soit coulé dans un moule, soit découpé directement. Bien qu'il tende à disparaître, le **filigrane** est

encore pratiqué à Essaouira et à Tiznit. Les **bijoux citadins**, quant à eux, sont en **or** ou, plus rarement, en argent recouvert d'or. Du diadème au bracelet, ils sont souvent décorés de motifs floraux stylisés, les **arabesques**, à la manière des bijoux byzantins. Des pierreries peuvent y être incrustées : rubis, grenats, émeraudes ou perles. Autrefois fabriqués dans les quartiers juifs, ils sont aujourd'hui la spécialité de la corporation des orfèvres. Les bijoux citadins les plus remarquables, pour leur raffinement et leur beauté, sont le **lebba**, collier en or et pierres précieuses, et la ceinture de la mariée. La **main de Fatma** *(khamsa)*, pendentif en or ou en argent destiné à éloigner le mauvais œil, se vend partout.

Les tapis

Les tapis occupent une place prépondérante dans l'artisanat marocain. Moins réputés que ceux d'Orient, ils se distinguent néanmoins par leur grande variété et leur originalité.
On distingue les tapis citadins (**Rabat, Salé et Casablanca**), épais et très colorés, et les tapis berbères (**Moyen Atlas, Haut Atlas**) de taille variable, ornés de motifs géométriques.
La production des **tapis citadins** se concentre à Rabat, Salé et Casablanca. Décorés de motifs floraux inspirés de l'Asie Mineure du 18e s., ils se

caractérisent par la densité de leur moquette et la finesse de leur composition. Leur nœud de fabrication est celui de Ghiordès, appelé aussi « nœud turc ». Les plus anciens disposent de la plus fine trame, à bandes tissées d'une largeur inférieure à 10 mm. Ces bandeaux à motifs répétitifs encadrent une surface rouge (de garance ou de cochenille), elle-même décorée de tracés curvilignes ou rectilignes. Sur les tapis casablancais, les surfaces centrales sont plus grandes et souvent ornées de médaillons octogonaux. Leur originalité vient aussi du fait qu'ils contiennent au minimum sept couleurs éclatantes.

Les **tapis berbères** du **Moyen Atlas**, très grands et épais, servent de matelas. Décorés de motifs géométriques basiques, triangles, losanges, rectangles ou damiers, ils se présentent soit très colorés (Meknès), soit en noir et blanc (Taza). Pour obtenir un tissage épais et solide, la laine est fortement calibrée, et souvent retordue en deux brins pour les points noués sur trois ou quatre fils de chaîne.

Contrairement aux précédents, les **tapis du Haut Atlas**, aux couleurs chaudes et orientales (rouge, orange et or), jouent un rôle exclusivement ornemental. Leur finesse s'obtient à l'aide d'un point, de près de 15 mm, noué sur deux fils de chaîne, selon la technique utilisée à Rabat. De taille relativement petite, ils se distinguent, en général, par une bande et un médaillon central.

Les **tapis du Haouz, à l'ouest de Marrakech**, dits *chichaoua*, sont célèbres pour leurs fonds aux couleurs chaudes rouge foncé ou bois de rose et leurs motifs en zigzag à chaque extrémité. Mais certains peuvent être bien étranges : toujours sur fond rouge, ils mêlent des motifs symboliques à une faune variée (serpents, scorpions, scolopendres) et à des objets disparates (théières, tables), quand ils ne représentent pas les hommes ou la nature.

Enfin, les **tapis du Maroc oriental** sont fabriqués à Taourirt et dans les régions voisines. De grandes dimensions, ils présentent une dominante verte ou bleue. La chaîne en laine est mélangée à du poil de chèvre ou de chameau, et teinte en rouge avec des racines de sumac.

L'un des meilleurs endroits du Maroc pour acheter vos tapis est sans doute le **souk Zrabi de Marrakech** *(voir p. 74)*. C'est là que les Berbères viennent vendre leurs créations, tandis que nombre de commerçants de tout le pays s'y approvisionnent.

Le cuir

Les **babouches**, les accessoires de harnachement, les **sacoches** *(chekkara)* et les **coussins** comptent parmi les principaux objets traditionnels en cuir. Les motifs, brodés de fils d'or ou de soie, ou incisés à l'aide d'un canif, sont d'origine hispano-mauresque : entrelacs rectilignes ou curvilignes, dessins floraux, médaillons lobés…

On utilise aussi la technique de **l'estampage** et du **repoussage** : l'artisan tape à l'aide d'un marteau sur un outil qui donne un relief au cuir.

113

Les tanneries qui ont conservé les techniques ancestrales existent toujours dans certaines villes, à Fès notamment. Aujourd'hui, la **maroquinerie** (sac à main, pouf, portefeuille…) occupe une place importante dans l'activité du cuir. Bien que la production de vêtements et de chaussures soit de moins en moins artisanale, la qualité du cuir demeure satisfaisante grâce aux progrès de l'industrie dans ce domaine.
🦽 *« Souk Cherratine »*, p. 74.

Le travail du bois

Toute la décoration architecturale témoigne de la virtuosité des Marocains à travailler et à sculpter le bois, que ce soit sur les **auvents** des *medersa*, dans la réalisation des **moucharabiehs** ou des **plafonds à stalactites**. Dans les souks, la délicieuse odeur du bois de cèdre, du thuya ou du chêne annonce les tourneurs, qui fabriquent brochettes et pieds de table. Plus loin, les menuisiers exécutent des coffres, pièces maîtresses du mobilier. Ceux-ci varient selon les villes : en thuya aux ferrures ouvragées à Fès, en cèdre très sculpté à Meknès, au couvercle en dos d'âne à Marrakech, peints de couleurs vives à Tetouan. Pour les petits objets en bois, signalons les animaux, coupes, vases taillés dans le cèdre par les artisans d'Azrou.
Les ébénistes d'**Essaouira** sont réputés depuis longtemps pour leur habileté en **marqueterie**. Leur matériau principal est le thuya de Barbarie, ou **arar**, un arbre de la famille des cyprès. Pour les incrustations, ils emploient d'autres essences, comme le citronnier (jaune) ou l'acacia gommier (noir, qui remplace l'ébène, trop coûteux), ainsi que de la nacre provenant des murex, et des fils d'argent. Mais les objets les plus beaux sont taillés dans la loupe d'arar, c'est-à-dire dans la racine du thuya, dont le bois présente des irrégularités de couleur et de texture très recherchées par les ébénistes. Ces racines proviennent d'arbres morts depuis longtemps et pèsent en moyenne une vingtaine de kilogrammes, mais celles de spécimens vieux de plusieurs siècles peuvent atteindre 200 kg et permettent de sculpter d'une seule pièce un fauteuil, voire une baignoire ! Longuement poncé, puis patiemment poli à la main, le bois prend un aspect marbré, tacheté ou chatoyant du plus bel effet.

La dinanderie

Les principaux ateliers de dinandiers *(seffarine)* se trouvent dans les médinas de **Fès** et **Marrakech**. L'art du **cuivre** et du **bronze**, qui relève de techniques ancestrales, requiert une maîtrise et une patience rigoureuses. Le métal est gravé au burin et ciselé à la gouge. Dans les échoppes des artisans s'amoncellent les objets en cuivre rouge ou jaune : plateaux, bouilloires, brûle-parfums, chandeliers, boîtes à thé… Les grandes **lanternes** à verre coloré qui projette de jolis rais de lumière bleus, rouges, jaunes ou verts iront dans les patios des maisons traditionnelles. Les grands récipients, tels que les marmites ou les cuves pour les hammams, sont dénués de décoration.

La ferronnerie

Impossible de manquer le souk des ferronniers *(voir « souk Haddadine », p. 74)*, les coups de marteau qui retentissent l'annoncent de loin. Excepté les lustres et les lanternes, les pièces fabriquées sont destinées à la sécurité de la maison : grilles de fenêtre, clefs, serrures, clous pour les heurtoirs des portes, pentures, etc. L'achat d'objets en fer, tout comme leur production, est le domaine réservé des hommes.

La poterie berbère

En terre blanche ou rouge, elle est soit incisée ou estampée, soit peinte en noir ou rouge. À Taroudant, elle est vernissée en brun, à Tamegroute, en vert. Les différents motifs qui la décorent, et que l'on retrouve sur les dessins au henné, sont chargés de symbolisme (le losange du nomadisme, par exemple, désigne les quatre points cardinaux). Les femmes modèlent la poterie à la main tandis que les hommes utilisent un tour à pied. Cuites sur des feux de branches, les pièces obtenues **(plats, bols, jarres, cruches, marmites)** sont destinées essentiellement à l'usage domestique. Les formes et décors varient en fonction des régions. Dans le Rif, les poteries sont **ocrées** et ornées de **dessins noirs**. Dans le Moyen Atlas et dans les zones sahariennes, elles ont une taille imposante.

La céramique citadine

Propre aux anciennes cités comme Fès ou Salé, elle remonte au 10e ou 11e s. Sobre et épurée, sa décoration mêle des **éléments floraux** d'origine perse et espagnole à des **inscriptions coufiques et des motifs géométriques**. La surface n'est jamais entièrement recouverte. Son fond en émail blanc tranche avec des dessins jaunes, verts ou bleus, parfois délimités par du brun manganèse. Au 18e s., les artisans de Fès créèrent une nouvelle faïence, dont les motifs surchargés sont peints uniquement en bleu : c'est le fameux **bleu de cobalt**, communément appelé « bleu de Fès ». Bénéficiant de l'enseignement fassi, la ville de Safi a opté pour des motifs foisonnants et colorés, introduisant une céramique de luxe. On trouve toutes sortes d'objets en céramique, chacun ayant une fonction précise : le *berrada* est une gargoulette qui permet de conserver de l'eau fraîche ; le *douaïa*, un encrier utilisé par les écrivains publics ; le *guellouch*, un petit récipient pour le miel ; le *hallab*, une bouteille de lait ; le *mbokha*, un brûle-parfums, etc. Si l'introduction récente de fours à briques et de tours à pied dans les ateliers a permis d'augmenter la production et de diminuer les « défauts de fabrication », la décoration, elle, demeure manuelle.

115

Les peintres d'Essaouira

Les multiples brassages ethniques et culturels, la beauté de la ville et l'intensité de la lumière ont favorisé l'élan artistique. Il existe à Essaouira une forte densité de créateurs, notamment de peintres. Le courant se caractérise par une peinture extrêmement colorée, marquée par la spiritualité des lieux et le patrimoine culturel.

Des artistes autodidactes

Le pionnier des talentueux peintres autodidactes d'Essaouira, fut, dans les années 1960, le peintre et sculpteur Boujemâa Lakhdar.
Suivant son exemple, d'autres artistes, pour la plupart issus du monde rural et sans aucune formation artistique, se sont mis à peindre leurs rêves et à donner libre cours à leur fantaisie et à leur imaginaire, tels Ali Maimoune, Abdelkader Bentajar, Abdellah Oulamine, Brahim Mountir, Mohamed Tifardine, Said Ouarzaz ou Abdelmalek Berhiss.
Créateurs d'un art singulier que l'on qualifie parfois – à tort – d'art naïf, et qui se révèle souvent proche de l'abstraction, ils tirent leur inspiration tant de leurs racines arabes, et surtout berbères, que des traditions locales, où le mysticisme, le surnaturel et tout un répertoire de signes et de symboles cohabitent en une secrète alchimie. À cela s'ajoute le monde de la transe et de la culture gnaouie, dont l'influence est particulièrement importante à Essaouira.

Une richesse artistique

Mohammed Tabal, figure de proue de cet univers artistique, en est le parfait exemple. Puisant son inspiration dans ses origines africaines et dans les traditions gnaouies, celui qu'on appelle le « peintre de l'errance et de la transe » réalise des œuvres fortes, peintures mais aussi sculptures, qui sont loin de laisser indifférent.
Des femmes marocaines s'imposent également sur la scène artistique. Des individualités fortes émergent, parmi elles Fatima Ettalbi et Chaïbia, artiste autodidacte qui puise ses images dans la vie quotidienne et transmet sa sensibilité à travers la couleur pure et la simplification des formes, dans des œuvres oscillant entre le naïf et l'art brut.

Galerie et lieux d'exposition

Frédéric Damgaard, personnalité locale, collectionneur de peintures, critique d'art et écrivain, a encouragé les artistes souiris durant une trentaine d'années. Dans sa galerie d'Essaouira, il expose et vend les œuvres d'artistes comme le peintre gnaoua Mohammed Tabal, Ali Maimoune, Fatima Ettalbi (qui utilise dans ses peintures les techniques du décor au henné), Rachid Amarhouch…
« Shopping », p. 58.

La culture gnaouie

C'est surtout à Marrakech, Fès, Meknès et Essaouira que l'on entend la **musique des Gnaouas**. Originaires de l'Afrique subsaharienne (Ghana et Nigeria), les Gnaouas chantent des poèmes religieux en arabe dialectal mêlé à des expressions de leur langue d'origine. La cérémonie gnaouie a pour but de chasser les djinns, ces esprits malfaisants qui peuvent s'en prendre à tout musulman. Le rythme saccadé de la musique conduit les danseurs à un état de transe.

Origine des Gnaouas

Les Gnaouas, dont l'histoire se perd dans la nuit des temps, seraient d'une part des descendants d'esclaves soudanais venus travailler dans les plantations du Sous, du Haouz de Marrakech et dans les sucreries d'Essaouira, sous le règne du sultan Ahmed el Mansour, et d'autre part des Guinéens qui constituèrent au 17e s. la garde noire de Moulay Ismaïl. Ils descendaient aussi de centaines de Noirs que le sultan Mohammed ben Abdallah fit venir du Soudan (qui à l'époque englobait les actuels Mauritanie, Sénégal, Guinée, Mali et Niger) pour la construction de la ville d'Essaouira.

De la danse à la transe

Utilisant tambours et **crotales**, ou *qarakeb* (sortes de castagnettes en fer, faites d'une tige renflée en forme de coque à chaque extrémité), leur numéro se situe à la limite de l'acrobatie. L'intensité des rythmes, le talent des danseurs s'expriment dans des sauts et sonnailles exécutés pour attirer les spectateurs. Le rituel de la *derdeba* gnaouie se termine par l'**état de transe** (qu'on appelle le *hal*, quête mystique du divin) et par les danses de possession.

Festivals et représentations

Qui veut connaître ces rituels authentiques que n'ont pas altérés les flux touristiques ou les influences étrangères se doit d'aller à **Essaouira**, ville des Gnaouas par excellence, où se tient chaque année en juin depuis 1998 le **Festival gnaoua et musiques du monde** *(voir p. 23)*, auquel s'associent des musiciens de jazz. Ils se produisent aussi à **Marrakech**, sur la **place Jemâa el-Fna**.

Vêtus de vert et de rouge, les acrobates de la confrérie de Sidi Ahmed ou Moussa, originaires de l'Anti-Atlas (région de Tiznit-Tafraoute), exécutent leur numéro sur la place.

La musique des Gnaouas commence aussi à percer en France avec des versions actualisées par des groupes comme l'Orchestre national de Barbès et Gnawa Diffusion.

117

Gastronomie

La renommée de la cuisine marocaine n'est plus à faire. Riche ou légère, simple ou sophistiquée, elle offre une multitude de plats aussi raffinés qu'exquis, dont Fès est sans doute la vitrine la plus éloquente.

Les entrées

On commence souvent le repas par des **salades**. Elles sont disposées dans de petites assiettes autour des plats et servent d'accompagnement pendant le repas. Chacune contient une spécialité : salade de carottes râpées à l'orange, aubergines et courgettes revenues dans l'huile *(zaâlouk)*, artichauts cuits, poivrons et tomates, fèves fraîches, graines de couscous, cervelle d'agneau, concombres, haricots verts, lentilles, etc.
Autre entrée très appréciée : la **soupe**. Les plus courantes sont celles aux légumes broyés ou coupés en dés, aux grains de blé concassés *(dchicha)*, à la semoule et à l'anis, au vermicelle, au riz, aux pâtes et aux gombos. Pendant le mois du ramadan, on interrompt le jeûne par une **harira**, soupe épaisse préparée à base de viande, de haricots, de lentilles, de pois chiches et de fèves. Très consistante, elle équivaut à un repas.
Les **briouate** constituent aussi une excellente entrée. Ce sont de petites enveloppes de pâte feuilletée *(ouarka)* farcies de viande hachée de bœuf

ou d'agneau et frites dans l'huile. Leur forme peut être cylindrique, triangulaire ou rectangulaire. La cuisine moderne propose des *briouate* aux crevettes et vermicelle, au fromage et aux merguez.
Enfin, vous ne pouvez manquer de goûter la **pastilla**. Il s'agit d'une pâte feuilletée fourrée d'amandes, d'oignons, de persil, d'œufs et de pigeon ou de poulet. Il faut de longues heures pour préparer la pastilla. Au restaurant, il est important de la réserver à l'avance. Si on vous la propose à la carte, cela veut dire qu'elle a été achetée au marché, et non faite maison… Très bonne aussi mais moins traditionnelle et assez relevée, la pastilla au poisson comprend des crevettes et du vermicelle chinois.

Les plats principaux

La plupart des plats de résistance sont à base de viande, souvent de mouton. Mets de base, le **couscous** se compose de semoule de blé, d'orge ou de maïs, cuite à la vapeur et accompagnée d'un pot-au-feu de mouton, de poulet ou de bœuf agrémenté de légumes (courgettes, navets, carottes, pommes de terre, pois chiches).
Le **tajine** est le plat le plus répandu. Ce ragoût de viande, de volaille ou de poisson est mijoté au charbon de bois dans un plat en terre cuite nappé d'huile, avec des épices, un ou

plusieurs légumes (oignons, carottes, queues d'artichauts, pommes de terre, haricots, petits pois), et/ou des fruits (pruneaux, raisins secs, citrons confits) ainsi que des graines (amandes émondées, pignons de pin). On distingue plusieurs variétés de tajines : les **mqalli**, accommodés de sauce safranée, ou les **mhammar**, préparés à base d'épices rouges, d'origine arabe, et les *mjammar*, mijotés au charbon de bois, hérités de la cuisine andalouse. Goûtez les délicieuses brochettes de **kefta**, boulettes de viande hachée rehaussées d'épices (cumin ou paprika) et cuites à la poêle. À moins que vous ne préfériez celles de **kebabs**, morceaux de viande grillés sur un barbecue ou au charbon de bois et agrémentés d'une sauce piquante. D'origine turque, le **méchoui** se présente soit sous forme d'un mouton entier ou d'un demi-mouton, grillé avec du sel et du cumin, soit sous forme de *mhamar*, des morceaux de mouton cuits dans une cocotte avec des oignons, des clous de girofle, du safran, du beurre rance, du persil, du sel et du poivre. Il peut être assaisonné avec du sel, du beurre, des épices (safran, paprika, cumin) et arrosé de sauces contenant de la coriandre et autres herbes. Dans certaines régions, on fait aussi du méchoui de bœuf, de chèvre, de gazelle ou de poulet. Autre mets très apprécié des Marocains, les **abats**. Cuisinés notamment lors de la **fête du Mouton** (*Aïd el-Kébir*), ils se présentent en sauce. Le **poulet** peut être rôti ou cuisiné en tajine – le poulet aux olives et citrons confits est le plus traditionnel. **Poissons et crustacés** abondent sur la côte atlantique, à Essaouira notamment.

Les desserts et pâtisseries

En raison de la variété et de la qualité des fruits au Maroc, les repas s'achèvent souvent par un plateau ou une salade de **fruits**. Pour certains mariages citadins, il semble de bon ton de faire confectionner un gâteau glacé par un traiteur. Si, en Occident, la diversité et la spécificité des pâtisseries marocaines sont méconnues, c'est parce qu'elles sont sérieusement concurrencées à l'exportation par les gâteaux libanais et tunisiens. Tout aussi raffinées les unes que les autres, ces pâtisseries sont toujours servies avec du thé à la menthe. Les **cornes de gazelle** (*kaab el-ghzal*), pâte d'amande parfumée à la fleur d'oranger, sont les plus réputées. Le **sfenj**, beignet frit qui rappelle le *churro* espagnol, est vendu dans des échoppes. La pâtisserie au miel **haloua chebbakia** et les **briouate au miel et aux amandes** accompagnent la *harira* pendant les repas du ramadan. Pâte sablée au beurre contenant de la semoule, des graines de sésame ou des amandes, la **ghoriba** fond lentement dans la bouche. Les petits pains ronds sucrés **krachel** peuvent être dégustés seuls ou avec du beurre ou du miel. Faits avec la même pâte que celle des *krachel*, les **feqqa** sont

119

de petits gâteaux aux amandes. Le **sellou**, pyramide brune composée de farine dorée au four, d'amandes grillées et moulues, de beurre, de miel, de sésame, de musc d'Arabie et de cannelle, constitue un plat très fortifiant, habituellement préparé au ramadan ou après une naissance pour la maman. La craquante **pastilla au lait** *(ktéfa)* se prépare avec une pâte feuilletée enduite de lait ou de crème pâtissière et saupoudrée d'amandes pilées. La longue **m'hencha**, gâteau à la pâte d'amande, s'enroule sur elle-même, d'où son nom, qui dérive de *hench* (serpent).

Les épices

Au Maroc, on désigne sous le nom d'épices les plantes médicinales et les condiments. Une hiérarchie a été élaborée en fonction de leur rareté et de leur ancienneté. Les plus importantes sont le poivre, la cannelle, la muscade, le girofle, le gingembre et le safran. Les suivantes, apparues bien plus tard, rassemblent entre autres la coriandre, la cardamome, le cumin et l'anis. Les dernières, appelées « épices du pauvre », sont de simples condiments : thym, marjolaine, réglisse, laurier, etc.
Le **poivre noir** fraîchement moulu relève la majorité des plats. La **cannelle** aromatise les pâtisseries et certains tajines sucrés, comme celui aux pruneaux et aux amandes. Le **gingembre** en poudre s'emploie pour la préparation des plats saucés. Le **safran**, présenté sous forme de filaments, est utilisé en petite quantité dans la majorité des tajines. Le **persil** à feuilles plates et la graine de **coriandre** fraîche parfument bon nombre de plats, notamment ceux à base de viande. Le **cumin** accompagne les méchouis et les œufs. Le **paprika**, poudre séchée de poivron rouge, relève certains tajines, la **kefta** (viande hachée) et le poisson. La **noix de muscade** parfume la viande blanche et le poisson ; son écorce, le macis, agrémente les boulettes de viande. Le **ras el-hanout** (« tête de la boutique ») est un mélange des meilleurs produits de l'épicerie : clous de girofle, gingembre, bouton de rose, cannelle, piments, golanga, macis de la noix de muscade, anis, curcuma, cardamome, gousses d'ail, noix de muscade et cantharides. On l'utilise surtout pour les plats de fête.

Les vins et spiritueux

Bien que l'alcool soit prohibé au Maroc, comme dans la plupart des pays musulmans, le vin y est produit et exporté. On trouve **trois zones viticoles** : la première située près d'Oujda, la deuxième s'étendant de Fès à Meknès, et la troisième, de Rabat à Casablanca. Une production viticole récente et de qualité s'est également développée dans la province d'**Essaouira**. L'alcool de figue, la *mahia*, distillée à 40º, est une eau-de-vie digestive et corsée. Idéale en été, la bière Flag pils ou Flag spéciale désaltère à petit prix.

Le thé à la menthe

Un signe d'hospitalité

Le thé à la menthe fait partie du quotidien des Marocains. On le boit à toute heure de la journée, en guise de bienvenue, comme apéritif ou digestif, et en cours de repas. **Troisième signe d'hospitalité** après le lait et les dattes, le thé est souvent accompagné de **pâtisseries**, de crêpes *(rghaief, baghrir ou msemmen)*, ou simplement de pain d'orge, de maïs ou de blé.

Tout un cérémonial

La présentation du thé, tout comme sa préparation, est riche en symboles. Rien n'est laissé au hasard, ni le nombre de verres ni leur disposition sur le plateau. La préparation, qui revient au plus habile de la famille, se fait devant les invités, suivant des rites ancestraux. Assis en tailleur, l'élu procède au nettoyage de la théière à l'eau bouillante, après un *bismillah* de rigueur. Puis il prend la dose exacte dans la boîte à thé. Les feuilles de thé vert sont rincées deux fois, la première eau de rinçage étant conservée pour sa forte teneur en thé. Le premier verre servi ne contient que du thé, ce n'est qu'au deuxième qu'on ajoute menthe et morceaux de pain de sucre. La théière est protégée par un napperon pendant la période d'infusion. Le thé est ensuite servi de la main droite, la gauche étant considérée comme impure par les musulmans. On le verse de très haut, afin d'en exalter l'arôme, avant de confier le premier verre à un palais confirmé. Si celui-ci se montre insatisfait, le thé est retravaillé

Pas de boisson nationale sans les Anglais !
À quand remonte la présence du thé au Maroc ? Au début du 19e s., seules les familles riches et la cour royale *(maghzen)* pouvaient s'en procurer. Il fallut attendre la guerre de Crimée, vers 1854, pour que le thé arrive sur les côtes marocaines. Le blocus de la Baltique interdisant aux marchands anglais de vendre leurs produits aux marchés slaves, ceux-ci débarquèrent sur les comptoirs de Tanger et de Mogador. C'est ainsi que la boisson gagna l'ensemble du pays.

125

Collection sous la responsabilité d'Anne Teffo

Édition	Florence Dyan, Archipel studio
Rédaction	Dominique Barouch, Éric Boucher, Tiphaine Cariou, Michel Dusclaud, Éric Fottorino, Gilles Guérard, Philippe Longin, Clément Mathieu, Delphine Storelli, Yves Traynard
Cartographie	Stéphane Anton, Michèle Cana, Thierry Lemasson, Leonard Pandrea
Conception graphique	Laurent Muller (couverture et maquette intérieure)
Relecture	Hélène Jovignot
Régie publicitaire et partenariats	michelin-cartesetguides-btob@fr.michelin.com *Le contenu des pages de publicité insérées dans ce guide n'engage que la responsabilité des annonceurs.*
Remerciements	Office national marocain du tourisme (ONMT)
Contacts	Michelin Cartes et Guides Le Guide Vert 46, avenue de Breteuil 75324 Paris Cedex 07 ✆ 01 45 66 12 34 – Fax : 01 45 66 13 75 www.cartesetguides.michelin.fr
Votre avis nous intéresse	Rendez-vous sur votreaviscartesetguides.michelin.fr
	Parution 2010

Et en complément de notre guide,
créez votre voyage sur **Voyage.ViaMichelin.fr**

Manufacture française des pneumatiques Michelin
Société en commandite par actions au capital de 304 000 000 EUR
Place des Carmes-Déchaux - 63000 Clermont-Ferrand (France)
R.C.S. Clermont-Fd B 855 200 507
Toute reproduction, même partielle et quel qu'en soit le support, est interdite sans autorisation préalable de l'éditeur.
© Michelin, Propriétaires-éditeurs.
Impression et brochage : La Tipografica Varese
Dépôt légal 01-2010 – ISSN 0293-9436
Imprimé en Italie 01-2010